Lesehefte für den Literaturunterricht

In neuer Folge herausgegeben von:
Rainer Siegle und Jürgen Wolff

„liebt mich – liebt mich nicht"

Moderne Liebesgeschichten aus aller Welt

mit Materialien
zusammengestellt von Jutta Grützmacher
und Inge Menyesch

Ernst Klett Verla

Wir kennzeichnen die vorgesehene Klassenstufe, z. B. bedeutet 10 11: vorgesehen für die beiden Stufen 10 und 11.

Das Lehrerheft hierzu hat die Klettbuch-Nummer 261412.

ISBN 3-12-261410-3

1. Auflage 1 5 4 3 2 1 | 1988 87 86 85 84

Alle Drucke dieser Auflage können im Unterricht nebeneinander benutzt werden. Die letzte Zahl bezeichnet das Jahr dieses Druckes.

Umschlagfoto: Ralph Grimmel.
Gesamtherstellung: Wilhelm Röck, Weinsberg.

Inhalt

I Erzählungen

1. Ingeborg Bachmann: Die Fähre

Im hohen Sommer ist der Fluß ein tausendstimmiger Gesang, der, vom Gefälle getragen, das Land ringsum mit Rauschen füllt. Nahe am Ufer aber ist er stiller, murmelnder und wie in sich selbst versunken. Er ist breit, und seine Kraft, die sich zwischen das Land legt, bedeutet Trennung. Gegen Norden ist das Tal dunkel und dicht, nahe liegt Hügel an Hügel, aufwärtsgewölbt hängen Wälder nieder, und in der Ferne heben sich die steileren Höhen, die an hellen, freundlichen Tagen einen milden Bogen in das Land hinein bilden. Über dem Fluß liegt im ersten Dunkel der waldigen Enge das Herrenhaus. Der Fährmann Josip Poje sieht es, wenn er Menschen und Last hinüberführt. Er hat es immer vor sich. Es ist von brennender weißer Farbe und scheint plötzlich vor seinen Augen auf.

Josips Augen sind jung und scharf. Er sieht, wenn sich ferne im Gesträuch die Zweige biegen, er wittert die Gäste der Fähre, gleich, ob es die Korbflechterinnen sind, die um Ruten an das andere Ufer fahren, oder Handwerksleute. Manchmal kommt auch ein Fremder oder ganze Gesellschaften mit lachenden Männern und buntgekleideten, heiteren Frauen.

Der Nachmittag ist heiß. Josip ist ganz mit sich allein. Er steht auf der kleinen Brücke, die vom Ufer über die lange Strecke weichen Sandes führt. Die Anlegestelle ist mitten in die Einsamkeit des Buschlandes gebaut, eine Fläche, die sich sandig und versteint bis zum allmählichen Übergang in Wiese und Feld ausdehnt. Man kann das Ufer nicht überschauen, jeder Blick ertrinkt im Gesträuch, und kleine, wenig verhärtete Wege sind dazwischen wie frische Narben. Allein das Wechselspiel der Wolken an diesem unsteten Tag ist Veränderlichkeit. Sonst ist die Ruhe ermüdend, und die schweigende Hitze drückt allen Dingen ihr Mal auf.

Einmal wendet sich Josip. Er blickt zum Herrenhaus hinüber. Das Wasser liegt dazwischen, aber er sieht doch an einem der Fenster den „Herrn“ stehen. Er, Josip, kann viele Stunden ruhig stehen oder liegen, er kann Tag für Tag das gleiche Wasser hören, aber der Herr im weißen Haus, das sie manchmal das „Schloß“ nennen, muß Ruhelosigkeit in sich tragen. Er steht bald an diesem, bald an jenem Fenster, manchmal kommt er den Wald herunter, daß Josip meint, er wolle den Fluß überqueren, aber dann verneint er, so gut dies über das Brausen geht. Er streift zwecklos am Ufer entlang und kehrt wieder um. Josip sieht das oft. Der Herr ist sehr mächtig, er verbreitet Scheu und Ratlosigkeit um sich, aber er ist gut. Alle sagen es.

Josip mag nicht mehr daran denken. Er sieht forschend nach den Wegen. Es kommt niemand. Er lacht. Er hat jetzt seine kleinen Freuden. Er ist schon ein Mann, aber es macht ihm noch immer Vergnügen, die platten Steine aus dem Sand zu suchen. Er geht bedächtig im feuchten, nachgebenden Sand. Er wiegt den Stein prüfend in den Händen; dann schwingt er, sich beugend, den Arm, und in schwirrendem Flug saust das übermütige Stück über die Wellen, springt auf und weiter und springt wieder auf. Dreimal. Wenn er es öfter macht, springen die Steine aber achtmal auf. Sie dürfen nur nicht plump sein.

Stunde auf Stunde stiehlt sich fort. Der Fährmann ist lange schon ein stummer, verschlossener Träumer. Die Wolkenwand über den entfernten Bergen wird höher. Vielleicht geht der Schein der Sonne bald weg und schlingt goldene Säume in die weißnebeligen Paläste. Vielleicht kommt dann auch Maria. Sie wird wieder spät kommen und Beeren im Korb tragen oder Honig und Brot für den Herrn. Er wird sie über den Fluß fahren müssen und ihr nachsehen, wenn sie gegen das weiße Haus geht. Er versteht nicht, warum Maria dem Herrn alle Dinge in das Haus tragen muß. Er soll seine Leute schicken.

Die späten Nachmittage bringen Verwirrung. Die Bedenken verfliegen mit dem Ermüden. Die Gedanken sind auf heimlichen Wegen. Der Herr ist nicht mehr jung. Er wird kein Verlangen tragen, das so schmerzt wie das des jungen

Josip Poje. Warum muß Maria an ihn denken, wo er nie nach ihr sieht, sondern an große Dinge denkt, die unverständlich und dunkel für sie sind! Sie kann viele Male zu ihm kommen, er wird sie nicht sehen, wenn sie kein Wort sagt. Er wird ihre Augen nicht verstehen und die Schweigende fortschicken. Er wird nichts von ihrer Traurigkeit und ihrer Liebe wissen. Und der Sommer wird vergehen, und im Winter wird Maria mit ihm tanzen müssen.

Die kleinen Mücken und die Fliegen, die nach Sonnenuntergang so lebendig werden, schwärmen schon. Sie suchen immer durch die Luft, fliegen geruhsame Kreise, bis sie mit einem Mal zusammenstoßen. Dann lösen sie sich und schweben weiter, bis sich das wiederholt. Irgendwo singen noch Vögel, aber man hört sie kaum. Das Rauschen des Flusses ist Erwartung, die alles andere in sich erstickt. Es ist ein lautes Lärmen, das mit Bangen und Erregung gefüllt ist. Kühle weht auf und ein trüber Gedanke in ihr. Man müßte blind sein und sähe doch den weißen Fleck der Mauer vom anderen Ufer durch den Wald scheinen.

Der Abend ist da. Josip denkt daran, nach Hause zu gehen, doch er wartet noch ab. Es ist schwer, einen Entschluß zu fassen. Aber nun hört er, daß Maria kommt. Er sieht nicht hin, er will gar nicht hinsehen, aber die Schritte sagen genug. Ihr Gruß ist zag und hilflos. Er blickt sie an.

„Es ist spät." Seine Stimme ist voll Vorwurf.

„Du fährst nicht mehr?"

„Ich weiß nicht", erwidert er. „Wo willst du noch hin?" Er ist von fremder Unerbittlichkeit beherrscht.

Sie wagt nicht zu antworten. Sie ist stumm geworden. Sein Blick ist ein Urteil. Er bemerkt, daß sie nichts bei sich trägt. Sie hat keinen Korb, keine Tasche, auch kein Tuch, das sich zum Bündel wölbt. Sie bringt nur sich.

Sie ist ein törichtes Mädchen. Er ist voll Verwunderung und versteht sie nicht und verachtet sie ein wenig. Aber die Wolken haben nun ihren glühenden Saum. Die Wellen im Strom sind bedächtiger und breiter als am Tage, die Strudel inmitten dunkler und gefährlicher. Niemand wird wagen, jetzt mit einem Boot über das Wasser zu fahren. Nur die Fähre bietet Sicherheit.

Der Wind streicht über Josips Stirne, aber sie bleibt trotzdem heiß. Eine Regung, die ihn erzürnt, stürzt ihn in Verwirrung. Das Seil der Fähre stellt eine Verbindung her, löst die Grundlosigkeit und weist gerade und unfehlbar an das andere Ufer, auf das weiße Herrenhaus.

„Ich fahre nicht", weist er Maria ab.

„Du willst nicht?" Ahnung steigt in dem Mädchen auf. Es hebt einen kleinen Beutel und frohlockt: „Ich werde dir doppelt soviel zahlen!"

Er lacht erlöst. „Du wirst nicht genug Geld haben. Ich fahre nicht mehr."

Warum steht sie noch immer hier? Das Aufeinanderschlagen des Geldes verklingt. Zutraulichkeit ist in ihrem Gesicht und Bitte. Er verstärkt seine Abweisung und seinen Vorwurf.

„Der Herr wird dich nicht ansehen. Dein Kleid ist nicht fein, und deine Schuhe sind schwer. Er wird dich fortjagen. Er hat anderes zu denken. Ich weiß es, denn ich sehe ihn alle Tage." Er ängstigt das Mädchen. Nach einer von Nachdenklichkeit erfüllten Minute stehen Tränen in ihren Augen.

„Im Winter wird der Herr nicht mehr hiersein. Er wird dich schnell vergessen." Josip ist ein schlechter Tröster. Er ist bekümmert. Er wird sie nun doch über den Strom bringen. Die Ratlosigkeit in seinem Gesicht breitet sich mehr und mehr aus. Er sieht zu Boden. Hier ist aber nichts als die Fülle des Sandes. Ein schöner Plan verschwimmt in der Öde starrender Unentschlossenheit.

Als Maria sich langsam wendet, um zu gehen, versteht er sie zum zweitenmal an diesem Sommerabend nicht.

„Du gehst?" fragt er.

Sie bleibt nochmals stehen. Er freut sich nun. „Ich werde auch bald gehen."

„Ja?"

Er macht sich an der Fähre zu schaffen. „Ich denke an den Winter. Wirst du mit mir tanzen?"

Sie blickt auf ihre Schuhspitzen. „Vielleicht ... Ich will jetzt heimgehen."

Ein wenig später ist sie fort. Der Fährmann Josip Poje

denkt, daß sie vielleicht trotzdem traurig ist. Aber es wird einen lustigen Winter geben. Josip sucht einen Stein und schleudert ihn über das Wasser. Der Fluß ist merkwürdig trüb, und in der Mattheit des Abends hat keine Welle den 5 schäumenden Silberkranz. Es ist nicht mehr als ein graues Wogen, das sich mit breiter Kraft zwischen das Land drängt und Trennung bedeutet.

2. Heinrich Böll: An der Brücke

Die haben mir meine Beine geflickt und haben mir einen 10 Posten gegeben, wo ich sitzen kann: ich zähle die Leute, die über die neue Brücke gehen. Es macht ihnen ja Spaß, sich ihre Tüchtigkeit mit Zahlen zu belegen, sie berauschen sich an diesem sinnlosen Nichts aus ein paar Ziffern, und den ganzen Tag, den ganzen Tag geht mein stummer Mund wie 15 ein Uhrwerk, indem ich Nummer auf Nummer häufe, um ihnen abends den Triumph einer Zahl zu schenken.

Ihre Gesichter strahlen, wenn ich ihnen das Ergebnis meiner Schicht mitteile, je höher die Zahl, um so mehr strahlen sie, und sie haben Grund, sich befriedigt ins Bett 20 zu legen, denn viele Tausende gehen täglich über ihre neue Brücke ...

Aber ihre Statistik stimmt nicht. Es tut mir leid, aber sie stimmt nicht. Ich bin ein unzuverlässiger Mensch, obwohl ich es verstehe, den Eindruck von Biederkeit zu erwecken. 25 Insgeheim macht es mir Freude, manchmal einen zu unterschlagen und dann wieder, wenn ich Mitleid empfinde, ihnen ein paar zu schenken. Ihr Glück liegt in meiner Hand. Wenn ich wütend bin, wenn ich nichts zu rauchen habe, gebe ich nur den Durchschnitt an, manchmal unter 35 dem Durchschnitt, und wenn mein Herz aufschlägt, wenn ich froh bin, lasse ich meine Großzügigkeit in einer fünfstelligen Zahl verströmen. Sie sind ja so glücklich! Sie reißen mir förmlich das Ergebnis jedesmal aus der Hand, und ihre Augen leuchten auf, und sie klopfen mir auf die Schulter.

Sie ahnen ja nichts! Und dann fangen sie an zu multiplizieren, zu dividieren, zu prozentualisieren, ich weiß nicht was. Sie rechnen aus, wieviel heute jede Minute über die Brücke gehen und wieviel in zehn Jahren über die Brücke gegangen sein werden. Sie lieben das zweite Futur, das zweite Futur ist ihre Spezialität – und doch, es tut mir leid, daß alles nicht stimmt ...

Wenn meine kleine Geliebte über die Brücke kommt – und sie kommt zweimal am Tage –, dann bleibt mein Herz einfach stehen. Das unermüdliche Ticken meines Herzens setzt einfach aus, bis sie in die Allee eingebogen und verschwunden ist. Und alle, die in dieser Zeit passieren, verschweige ich ihnen. Diese zwei Minuten gehören mir, mir ganz allein, und ich lasse sie mir nicht nehmen. Und auch wenn sie abends wieder zurückkommt aus ihrer Eisdiele, wenn sie auf der anderen Seite des Gehsteiges meinen stummen Mund passiert, der zählen, zählen muß, dann setzt mein Herz wieder aus, und ich fange erst wieder an zu zählen, wenn sie nicht mehr zu sehen ist. Und alle, die das Glück haben, in diesen Minuten vor meinen blinden Augen zu defilieren, gehen nicht in die Ewigkeit der Statistik ein: Schattenmänner und Schattenfrauen, nichtige Wesen, die im zweiten Futur der Statistik nicht mitmarschieren werden ...

Es ist klar, daß ich sie liebe. Aber sie weiß nichts davon, und ich möchte auch nicht, daß sie es erfährt. Sie soll nicht ahnen, auf welche ungeheure Weise sie alle Berechnungen über den Haufen wirft, und ahnungslos und unschuldig soll sie mit ihren langen braunen Haaren und den zarten Füßen in ihre Eisdiele marschieren, und sie soll viel Trinkgeld bekommen. Ich liebe sie. Es ist ganz klar, daß ich sie liebe.

Neulich haben sie mich kontrolliert. Der Kumpel, der auf der anderen Seite sitzt und die Autos zählen muß, hat mich früh genug gewarnt, und ich habe höllisch aufgepaßt. Ich habe gezählt wie verrückt, ein Kilometerzähler kann nicht besser zählen. Der Oberstatistiker selbst hat sich drüben auf die andere Seite gestellt und hat später das Ergebnis einer Stunde mit meinem Stundenplan verglichen. Ich hatte nur einen weniger als er. Meine kleine

Geliebte war vorbeigekommen, und niemals im Leben werde ich dieses hübsche Kind ins zweite Futur transponieren lassen, diese meine kleine Geliebte soll nicht multipliziert und dividiert und in ein prozentuales Nichts verwandelt werden. Mein Herz hat mir geblutet, daß ich zählen mußte, ohne ihr nachsehen zu können, und dem Kumpel drüben, der die Autos zählen mußte, bin ich sehr dankbar gewesen. Es ging ja glatt um meine Existenz.

Der Oberstatistiker hat mir auf die Schulter geklopft und hat gesagt, daß ich gut bin, zuverlässig und treu. „Eins in der Stunde verzählt“, hat er gesagt, „macht nicht viel. Wir zählen sowieso einen gewissen prozentualen Verschleiß hinzu. Ich werde beantragen, daß Sie zu den Pferdewagen versetzt werden.“

Pferdewagen ist natürlich die Masche. Pferdewagen ist ein Lenz wie nie zuvor. Pferdewagen gibt es höchstens fünfundzwanzig am Tage, und alle halbe Stunde einmal in seinem Gehirn die nächste Nummer fallen zu lassen, das ist ein Lenz!

Pferdewagen wäre herrlich. Zwischen vier und acht dürfen überhaupt keine Pferdewagen über die Brücke, und ich könnte spazierengehen oder in die Eisdiele, könnte sie mir lange anschauen oder sie vielleicht ein Stück nach Hause bringen, meine kleine, ungezählte Geliebte ...

3. Morley Callaghan: Du Snob!

Es war in der Buchabteilung des Kaufhauses, daß der Student John Harcourt plötzlich seinen Vater sah. Zuerst war er sich in der Menge, die den Gang zwischen den Verkaufstischen entlangdrängte, nicht sicher. Aber an der Hautfärbung im Nacken des ältlichen Mannes und an dem verblichenen Filzhut war etwas, das kannte er einfach. Harcourt stand neben dem Mädchen, das er liebte, und suchte ein Buch für sie aus. Den ganzen Nachmittag hatte er mit ihr geplaudert, eifrig, aber auch voll banger Scheu, als fühlte er noch immer ein kindliches Staunen, daß sie seine Gesellschaft mochte. Ihr Gesicht unter dem breitkrempigen Strohhut, so hell und klar in seinem Ausdruck gelassener Sicherheit, sah immer wieder zu ihm auf, manchmal mit einem Lächeln, wenn er etwas sagte.

Dies war die Art, wie sie miteinander sprachen: Nie hätten sie gewagt, offen und deutlich ihre Gefühle zu zeigen. Harcourt hatte sich soeben für ein Buch entschieden und mit einer lässigen Bewegung, als kaufte er tagtäglich Bücher für junge Damen, nach dem Geld in seiner Tasche gegriffen, als der weißhaarige Mann mit dem verblichenen Filzhut am anderen Ende des Verkaufstisches sich halb in seine Richtung drehte. Nun wußte Harcourt, daß ihn nur wenige Meter von seinem Vater trennten.

Der Redefluß des jungen Mannes geriet ins Stocken, und seine Stimme sank fast zu einem Flüstern herab, als fürchtete er, von allen Leuten im Kaufhaus an ihr erkannt zu werden. Eine schreckliche Unruhe stieg in ihm auf; etwas Kostbares, das er zu bewahren wünschte, schien von Vernichtung bedroht. Sein Vater stand derb und breitbeinig am Ende des Tisches mit den Sonderangeboten, in den Händen ein Buch, in dem er versonnen blätterte. Dann nahm er seine Brille aus einem alten, abgegriffenen Ledeŕetui, setzte sie umständlich auf die Nasenspitze und blickte über sie hinweg auf die Seiten. Sein Mantel hing aufgeknöpft herunter, an seiner Weste waren zwei Knöpfe offen, seine Haare waren zu lang. In seiner ziemlich schäbigen Aufmachung sah er genauso aus wie ein Handwerker, vielleicht ein Zimmermann. So viel Groll und Bitterkeit stieg in Harcourt auf, daß er am liebsten geschrieen hätte: „Warum zieht er sich an, als hätte er sein Leben lang noch keinen anständigen Anzug besessen? Er schert sich nicht darum, was die Leute von ihm denken. Er hat es nie getan. Ich hab' ihm hundertmal gesagt, er soll sich ordentlich anziehen, wenn er ausgeht. Und Mutter hat ihm dasselbe gesagt. Er lacht nur. Und jetzt sieht Grace ihn vielleicht. Grace wird ihn kennenlernen."

John Harcourt blieb unbeweglich stehen, mit gesenktem Kopf und mit dem Gefühl, daß etwas sehr Peinliches bevorstand. Einmal blickte er besorgt nach Grace, die sich dem Tisch mit den Sonderangeboten zugewandt hatte. Unter all den Leuten, die ziellos mit roterhitzten Gesichtern vorbeitrieben, sich in die Quere kamen und ihre Ellbogen benutzten (aber dabei unbeteiligte, hölzerne Mienen machten), stand sie als einzige aufrecht und unangefochten da. Inmitten der Menschen in den Gängen und des Verkaufspersonals hinter den Tischen und der Bücher in den Regalen und all der anderen Dinge ringsherum war sie ihrer selbst völlig sicher. Noch immer den Kopf gesenkt, trat Harcourt dicht an sie heran und flüsterte nervös: „Laß uns gehen und irgendwo Tee trinken, Grace!"

„Gleich, Liebling", sagte sie.

„Nein, jetzt."

„Nur eine Minute, Liebling", wiederholte sie zerstreut.

„Hier ist keine Luft zum Atmen. Gehn wir gleich!"

„Warum bist du so ungeduldig?"

„Das sind ja doch nur alte Bücher, auf dem Tisch da."

„Es könnte was dabeisein, das ich schon mein ganzes Leben suche", sagte sie, ihn heiter anlächelnd, ohne die Unruhe in seinem Gesicht zu bemerken.

So blieb Harcourt nichts übrig, als ihr langsam zu folgen, immer näher auf seinen Vater zu. Er spürte, wie sich der Raum zwischen ihnen zusammenschob. Einmal sah er unsicher und verstohlen auf. Aber sein Vater, rotgesichtig und zufrieden, las immer noch in dem Buch, jetzt allerdings mit einer nachdenklichen Miene, so als hätte etwas darin sein Interesse geweckt und als wollte er nun noch dableiben, um eine Weile zu lesen.

Der alte Harcourt hatte viel Zeit, sich zu zerstreuen, weil er nach einem Leben voll harter Arbeit nun Rente bezog. Er hatte John auf die Universität geschickt und war sehr darauf aus, daß er sich dort auszeichnete. Jeden Abend, wenn John nach Hause kam, es mochte früh oder spät sein, ging er in das Schlafzimmer seiner Eltern, machte Licht und erzählte ihnen von den bemerkenswerten Dingen, die er tagsüber erlebt hatte. Sie hörten zu und nahmen Anteil an seiner neuen Welt. Beide setzten sich in ihren Nachtgewändern auf, die Mutter fragte ihn aus, und der Vater hörte aufmerksam zu, den Kopf zur Seite geneigt, mal lächelnd, mal bekümmert. All dies kam John jetzt in den Sinn, er spürte nun auch ein verzweifeltes Sehnen, einen immer schwerer zu ertragenden Schmerz, und er schielte ängstlich nach seinem Vater. Gleichzeitig dachte er voll Trotz: „Ich kann ihn nicht vorstellen. Es ist für alle einfacher, wenn er uns nicht sieht. Ich schäme mich nicht. Aber es ist einfacher. Es ist rücksichtsvoller. Es wäre ihm nur peinlich, Grace zu begegnen."

Im gleichen Augenblick wurde ihm bewußt, daß er sich doch schämte, und das, wie ihm schien, zu Recht. Was hatte Grace für einen Vater: elegant und selbstbewußt! Man sah ihm an, daß er immer unter wohlhabenden und selbstsicheren Menschen gelebt hatte. Oft, wenn er, John, bei Grace zu Hause höflich mit ihrer Mutter plauderte, dachte er an die Unansehnlichkeit der eigenen vier Wände, an die heitere, gemütliche Unordentlichkeit seiner Eltern, und verbiß sich in den Vorsatz, die Bewunderung von Graces Familie zu verdienen.

Er hob vorsichtig den Blick, denn jetzt waren sie nur noch wenige Schritte von seinem Vater entfernt. In diesem Augenblick sah auch der Vater auf, und Johns Augen schweiften schnell über den Gang, über die Verkaufstische, ins Nichts. Während die ruhigen blauen Augen des Alten unbewegt über die Brille hinwegschauten, trat ein Moment ein, in dem sich ihre Blicke eigentlich kreuzen mußten. Keiner von ihnen hätte es direkt behaupten können, aber für John, der sich abwandte und eifrig auf Grace einredete, gab es keinen Zweifel, daß ihn sein Vater gesehen hatte. Er merkte es an der nüchternen Ruhe, die in diesen blauen Augen lag. Johns Scham wuchs, bis ihn die Selbstverachtung würgte, er wartete ab und tat nichts.

Der Vater drehte sich um und ging aufrecht, die Schultern zurückgenommen, in seinen schäbigen Kleidern den Gang hinunter, ohne ein einziges Mal umzuschauen. Gleich würde er langsam die Straße hinabgehen, und sicher würde seine nachdenkliche Miene immer noch tiefer und ernster.

Der junge Harcourt stand neben Grace. Er streifte gegen

ihre sanfte Schulter und gewahrte von neuem einen Hauch des unaufdringlichen Parfüms, das sie benutzte. Wie sie so dicht neben ihm stand, schien sie ihm der Inbegriff alles dessen, wonach er sich sehnte – und doch empfand er auf einmal eine heftige Feindseligkeit, die ihn mürrisch und stumm machte.

„Du hattest recht, John“, sagte sie gedehnt mit ihrer sanften Stimme. „Es wird hier wirklich unerträglich an so einem heißen Tag. Gehn wir jetzt! Hast du schon mal bemerkt, daß man in Kaufhäusern nach einiger Zeit einen richtigen Menschenhaß bekommt?“ Aber sie lächelte, während sie das sagte, wie um ihm zu zeigen, daß sie in Wirklichkeit niemanden haßte.

„Du magst also die Menschen nicht?“ sagte er scharf.

„Die Menschen? Was für Menschen? Was meinst du?“

„Ich meine“, fuhr er gereizt fort, „daß du solche Menschen nicht magst, die man hier antrifft, zum Beispiel.“

„Nicht besonders. Wer tut das schon? Aber wovon redest du denn?“

„Man sieht dir direkt an, daß du sie nicht magst“, sagte er ausfallend, voll grimmigen Eifers, sie zu verletzen. „Du magst eben keine einfachen, rechtschaffenen Leute, wie man sie quer durch die Stadt findet.“ Er stieß die Worte so grob hervor, als wollte er ihr damit angst machen, doch eigentlich drängte es ihn zu sagen: „Meine Familie möchtest du auch nicht leiden. Warum konnte ich dich nie zu uns zum Essen einladen? Weil du die Nase rümpfen würdest, weil sie kleine Leute sind. Sowie mein Vater dich sah, wußte er, daß du ihn nicht kennenlernen möchtest. An der Art, wie er sich umdrehte, hab’ ich es gemerkt.“

Sein Vater war jetzt wohl auf dem Heimweg, beim Abendessen würden sie sich begegnen. Seine Mutter und seine Schwester würden drauflosschwatzen, aber der Vater würde kein Wort sagen, weder zu ihm noch zu sonst jemand. Er, John, würde allein sein mit seiner Erinnerung an den ruhigen Blick aus den blauen Augen, mit dem Wissen um den Schmerz des Vaters beim Weggehen.

Grace beobachtete Johns finsteres Gesicht, während sie durch das Kaufhaus gingen. Sie spürte, daß er einen geheimen Groll nährte, und davon entstand auch bei ihr immer mehr Ärger und Verdruß, bis sie spitz sagte: „An einem so heißen Nachmittag darfst du dir wohl Stimmungen genehmigen. Aber wenn ich sage, daß ich das hier nicht mag, dann mag ich es eben nicht. Du wolltest ja selber gehen. Wer mag schon an einem heißen Nachmittag länger als nötig in einem Kaufhaus sein? Ich hasse allmählich jede dumme Person, die mich anrempelt, die ganzen Leute um mich rum. Was ist mir da vorzuwerfen?"

„Daß du ein Snob bist."

„Aha, ich bin also ein Snob?" fragte sie erbost.

„Allerdings bist du ein Snob", sagte er. Sie waren jetzt am Ausgang zur Straße. Während sie in der Sonne dahin gingen, inmitten der Menschenmenge, die sich langsam die Straße entlang wälzte, suchte er nach Worten, um zu beschreiben, was er insgeheim immer von ihr gedacht hatte. „Ich habe immer gewußt, wie du die Leute finden würdest, die ich mag und die nicht in deine Welt passen", sagte er.

„Du bist ein dummer Kerl", sagte sie. Ihr Gesicht war rot geworden, und sie tat sich schwer, ihre Verstimmung zu artikulieren; im Weitergehen sah sie starr vor sich hin.

So hatten sie noch nie miteinander gesprochen, und jetzt waren sie beide plötzlich begierig, einander weh zu tun. Mit einem Schwall von Worten begann sie gegen ihn anzureden. Doch dann hielt sie inne und sagte ruhig: „Hör zu, John, ich hab' das Gefühl, du möchtest mich los sein. Es ist sinnlos, miteinander Tee zu trinken. Ich glaube, es ist besser, wir verabschieden uns hier."

„Also gut", sagte er. „Also tschüs!"

„Wiedersehn."

„Wiedersehn."

Sie drehte sich weg und ging zwei Schritte, da streckte er mit einer verzweifelten Gebärde seine Hand aus und hielt sie am Arm fest. Er war verstört und bettelte: „Bitte geh nicht, Grace!"

Aller Zorn und Ärger war verraucht; seine Stimme verriet nur noch verzweifelte Angst, als er flehte: „Bitte verzeih mir! Ich habe kein Recht, so mit dir zu sprechen.

Ich weiß nicht, warum ich so grob bin und was mit mir los ist. Ich bin ein Narr, ein fürchterlicher Narr. Bitte, du mußt mir verzeihen. Verlaß mich nicht!"

So niedergeschmettert hatte sie ihn noch nie erlebt. 5 Diese Aufrichtigkeit, diese Tiefe des Gefühls rührten sie an. Während sie zuhörte und eine Ahnung von seiner Sehnsucht bekam, war es, als hätte der Zwist sie beide näher als je zueinandergebracht, und das Mädchen empfand eine Art Scheu. „Ich weiß nicht, was los ist", sagte sie. „Ich glaube, 10 wir sind beide gereizt. Es muß am Wetter liegen. Aber ich bin dir nicht böse, John."

Er nickte zerknirscht. Er hätte ihr gern gesagt, daß er genau wisse, wie reizend sie zu seinem Vater gewesen wäre – aber er hatte sich noch nie dermaßen elend gefühlt. Er 15 hielt ihren Arm umklammert, als müßte er ihn festhalten, als würde ihm sonst sein Liebstes auf der Welt entgleiten. Und zugleich dachte er daran – zeitlebens würde er daran denken –, wie sein Vater weggegangen war, still und ohne sich umzusehen.

20 4. Ernest Hemingway: Oben in Michigan

Jim Gilmore kam aus Kanada nach Hortons Bay. Er kaufte dem alten Horton die Schmiede und die Eisenhandlung ab. Jim war stämmig und dunkel, mit einem großem Schnurrbart und großen Händen. Er war ein guter Hufschmied, 25 aber sah selbst mit seinem Lederschurz nicht sehr wie ein Schmied aus. Er wohnte oben über der Eisenhandlung und nahm seine Mahlzeiten bei D. J. Smith ein.

Liz Coates arbeitete bei Smiths. Mrs. Smith, die eine sehr dicke, saubere Frau war, sagte, daß Liz Coates das 30 ordentlichste Mädchen sei, das sie je gesehen hätte. Liz hatte hübsche Beine und trug immer saubere Kattunschürzen, und es fiel ihm auf, daß ihr Haar immer ordentlich war. Ihm gefiel ihr Gesicht, weil es so vergnügt war, aber er dachte niemals an sie.

35 Liz mochte Jim sehr gern. Sie mochte die Art, wie er von

der Schmiede herüberkam, und sie ging häufig zur Küchentür, um darauf zu warten, daß er sich auf den Weg machte. Sie mochte seinen Schnurrbart. Sie mochte es, wie weiß seine Zähne waren, wenn er lächelte. Sie mochte es sehr, daß er nicht wie ein Grobschmied aussah. Sie mochte es, daß D. J. Smith und Mrs. Smith Jim so gut leiden mochten. Eines Tages merkte sie, daß sie mochte, daß das Haar auf seinen Armen so schwarz war und daß die Arme so weiß über dem gebräunten Teil waren, wenn er sich in dem Waschbecken vor dem Haus wusch. Daß sie dies mochte, gab ihr ein komisches Gefühl.

Die Stadt, Hortons Bay, bestand nur aus fünf Häusern auf der Hauptstraße zwischen Boyne City und Charlevoix. Da gab's den Kaufladen und die Post mit einer großartigen Scheinfassade, und vielleicht einem abgekoppelten Anhänger davor, Smiths Haus, Strouds Haus, Dillworths Haus, Hortons Haus und Van Hoosens Haus. Die Häuser lagen in einem Ulmenwäldchen, und die Straße war sehr sandig. Die Straße lief in beiden Richtungen durch Ackerland und Waldungen. Ein Stückchen die Straße hinauf war die Methodistenkirche und die Straße hinunter in der andern Richtung die Gemeindeschule. Die Eisenhandlung war rot gestrichen und lag der Schule gegenüber.

Ein steiler, sandiger Weg lief durch die Wälder den Hügel hinab zur Bucht. Von Smiths Hintertür konnte man über die Wälder hinwegsehen, die sich bis zum See erstreckten, und über die Bucht. Im Frühling und im Sommer war es sehr schön, die Bucht blau und licht, und meistens Schaumkämme auf dem See draußen jenseits der Landspitze von der Brise, die von Charlevoix und dem Michigansee hinunterblies. Von Smiths Hintertür aus konnte Liz weit draußen auf dem See die Erzkähne sehen, die nach Boyne City fuhren. Wenn sie sie betrachtete, schienen sie sich überhaupt nicht zu bewegen, aber wenn sie hineinging und weiter Geschirr abtrocknete und dann wieder herauskam, waren sie jenseits der Landspitze außer Sicht.

Die ganze Zeit über dachte Liz jetzt an Jim Gilmore. Er schien nicht viel Notiz von ihr zu nehmen. Er sprach mit D. J. Smith über sein Geschäft und über die Republikanische

Partei und über James G. Blaine. Abends las er bei der Lampe im Vorderzimmer *Die Toledoklinge* und die Grand Rapids Zeitung oder ging mit D. J. Smith zur Bucht hinunter, um bei Licht Fische zu stechen. Im Herbst nahmen er und Smith und Charley Wyman einen Wagen, ein Zelt, Fressalien, Äxte, ihre Flinten und zwei Hunde und machten eine Tour in die Kiefernebene hinter Vanderbilts Jagdgelände. Liz und Mrs. Smith kochten vier Tage lang für sie, bevor sie aufbrachen. Liz wollte etwas Besonderes für Jim zum Mitnehmen machen, aber sie tat es schließlich nicht, weil sie Angst hatte, Mrs. Smith um Eier und Mehl zu bitten, und außerdem Angst hatte, daß Mrs. Smith sie, wenn sie sie kaufte, beim Backen ertappen würde. Mrs. Smith hätte gar nichts einzuwenden gehabt, aber Liz hatte Angst.

Die ganze Zeit über, die Jim auf dem Jagdausflug war, dachte Liz an ihn. Es war schrecklich, während er weg war. Sie konnte nicht gut schlafen, weil sie an ihn dachte, aber sie entdeckte, daß es auch Spaß machte, an ihn zu denken. Wenn sie sich gehenließ, war es besser. Die Nacht, bevor sie zurückkommen sollten, schlief sie überhaupt nicht; das heißt, sie dachte, daß sie nicht schlief, weil alles durcheinanderging in einem Traum von Nichtschlafen und wirklichem Nichtschlafen. Als sie den Wagen die Straße entlangkommen sah, war ihr irgendwie flau und übel zumute. Sie konnte kaum abwarten, bis sie Jim sah, und sie meinte, daß alles gut sein würde, sobald er da wäre. Der Wagen hielt draußen unter der großen Ulme, und Mrs. Smith und Liz gingen hinaus. Die Männer hatten alle Bärte, und am Boden des Wagens lagen drei Rehe, deren dünne Beine steif über den Rand des Kutschbocks hervorstakten. Mrs. Smith küßte D. J. Smith, und er umarmte sie. Jim sagte: „Hallo, Liz!“ und grinste. Liz hatte nicht gewußt, was nun wirklich geschehen würde, wenn Jim zurückkam, aber sie war überzeugt, daß etwas geschehen würde. Nichts geschah. Die Männer waren einfach wieder zu Haus; das war alles. Jim zog die Leinwandsäcke von den Rehen, und Liz sah sie sich an. Eins war ein großer Bock. Er war steif und schwer aus dem Wagen zu heben.

„Hast du den geschossen, Jim?“ fragte Liz.

„Tja. ’ne richtige Schönheit, was?“ Jim nahm ihn auf den Rücken, um ihn in die Räucherkammer zu tragen.

An jenem Abend blieb Charley Wyman zum Abendbrot bei Smiths. Es war zu spät, um nach Charlevoix zurückzugehen. Die Männer wuschen sich und warteten im Vorderzimmer aufs Abendbrot.

„Ist denn nicht noch was drin in der Kruke, Jim?“ frug D. J. Smith. Jim ging hinaus zum Wagen in den Schuppen und holte den Krug mit dem Whisky, den die Männer auf die Jagd mitgenommen hatten. Es war ein Vierzehnliterkrug, und es schwappte noch ziemlich viel auf dem Grund hin und her. Jim tat einen tiefen Zug auf dem Weg zurück zum Haus. Es war schwierig, solch einen großen Krug hochzuheben, um daraus zu trinken. Ein bißchen Whisky lief auf sein Vorhemd hinunter. Die beiden Männer lächelten, als Jim mit dem Krug hereinkam. D. J. Smith rief nach Gläsern, und Liz brachte welche. D. J. Smith schenkte drei ganz gehörige ein.

„Na, auf dein Spezielles, D. J.“, sagte Charles Wyman.

„Auf den Riesenkerl von einem Bock, Jimmy“, sagte D. J.

„Auf alle, die wir verfehlt haben, D. J.“, sagte Jim und goß die Flüssigkeit runter.

„Das schmeckt ’nem Kerl, was?“

„In dieser Jahreszeit ist es die beste Medizin für alle Wehwehs.“

„Wie ist es mit noch einem, Jungens?“

„Wie, zum Wohl, D. J.“

„Runter damit, Jungens.“

„Auf nächstes Jahr.“

Jim begann sich fabelhaft zu fühlen. Er liebte den Geschmack und das Gefühl von Whisky. Er war froh, wieder zurück zu sein, in seinem Laden, seinem bequemen Bett und bei seinem warmen Essen. Er trank noch einen. Die Männer fühlten sich ausgelassen und übermütig, als sie zum Abendessen hineingingen, aber sie benahmen sich sehr manierlich. Liz saß mit bei Tisch, nachdem sie das

Essen hingestellt hatte, und aß mit der Familie. Das Essen war gut. Die Männer aßen mit Andacht. Nach dem Abendessen gingen sie wieder ins Vorderzimmer, und Liz räumte mit Mrs. Smith zusammen ab. Dann ging Mrs. Smith hinauf, und ziemlich bald darauf kam Smith heraus und ging auch hinauf. Jim und Charley waren noch im Vorderzimmer. Liz saß in der Küche neben dem Ofen und tat so, als ob sie ein Buch las, und dachte an Jim. Sie wollte noch nicht zu Bett gehen, weil sie wußte, daß Jim herauskommen würde, und sie wollte ihn sehen, wie er hinausging, so daß sie das Bild, wie er ausgesehen hatte, mit sich hinauf ins Bett nehmen konnte.

Sie dachte intensiv an ihn, und dann kam Jim heraus. Seine Augen glänzten, und sein Haar war ein bißchen verstrubbelt. Liz blickte in ihr Buch. Jim ging hinüber hinter ihren Stuhl und stand da, und sie konnte seinen Atem spüren, und dann umschlang er sie mit beiden Armen. Ihre Brüste fühlten sich prall und fest an, und die Brustwarzen standen aufrecht unter seinen Händen. Liz bekam einen furchtbaren Schreck, niemand hatte sie je angefaßt, aber sie dachte: Endlich kommt er zu mir. Er ist wirklich gekommen.

Sie hielt sich steif, weil sie solche Angst hatte, und wußte nicht, was sie sonst tun sollte, und dann preßte Jim sie fest gegen den Stuhl und küßte sie. Es war solch ein scharfes, wehes, schmerzendes Gefühl, daß sie dachte, sie könne es nicht ertragen. Sie fühlte Jim direkt durch die Stuhllehne hindurch, und sie konnte es kaum ertragen, und dann schnappte etwas in ihr, und das Gefühl war wärmer und linder. Jim hielt sie fest gegen den Stuhl gepreßt, und jetzt wollte sie es, und Jim flüsterte: „Komm spazieren."

Liz nahm ihren Mantel vom Haken an der Küchenwand, und sie gingen zur Tür hinaus. Jim hatte den Arm um sie, und alle paar Schritte blieben sie stehen und preßten sich gegeneinander, und Jim küßte sie. Es war kein Mond, und sie gingen knöcheltief auf dem sandigen Weg zwischen den Bäumen hinunter zum Anlegeplatz und dem Speicher in der Bucht. Das Wasser klatschte gegen die Pfähle, und die Landspitze war dunkel jenseits der Bucht. Es war kalt, aber Liz war heiß am ganzen Körper, weil sie mit Jim war. Sie setzten sich in den Schutz des Speichers, und Jim zog Liz dicht an sich. Sie hatte Angst. Eine von Jims Händen schlüpfte in ihr Kleid und streichelte über ihre Brust, und die andere Hand war in ihrem Schoß. Sie bekam einen großen Schreck und wußte nicht, was er weiter tun würde, aber sie kuschelte sich eng an ihn. Dann war die Hand, die sich in ihrem Schoß so groß angefühlt hatte, mit einemmal weg und auf ihrem Bein und fing an, sich hinauf zu bewegen.

„Nicht, Jim", sagte Liz. Jim ließ seine Hand weiter hinaufgleiten.

„Du darfst nicht, Jim. Du darfst nicht." Weder Jim noch Jims große Hand nahmen Notiz von ihr.

Die Planken waren hart. Jim hatte ihr Kleid hochgezogen und versuchte, etwas mit ihr zu tun. Sie hatte Angst, aber sie wollte es. Sie mußte es geschehen lassen, aber sie hatte Angst davor.

„Du darfst es nicht tun, Jim. Du darfst nicht."

„Ich muß. Ich will. Du weißt, daß wir müssen."

„Nein, wir müssen nicht, Jim. Wir müssen nicht. Ach, es ist nicht recht. Oh, es ist so groß und tut so weh. Du darfst nicht, oh, Jim, oh."

Die Fichtenplanken des Anlegeplatzes waren hart, splitterig und kalt, und Jim lag schwer auf ihr, und er hatte ihr weh getan. Liz schubste ihn; sie lag so unbequem und verkrampft da. Jim schlief. Er wollte sich nicht rühren. Sie arbeitete sich unter ihm hervor und setzte sich auf und zog ihren Rock und ihren Mantel zurecht und versuchte ihr Haar in Ordnung zu bringen. Jim schlief und hatte den Mund ein wenig geöffnet. Liz neigte sich hinüber und küßte ihn auf die Backe. Er schlief immer noch. Sie hob seinen Kopf ein wenig und schüttelte ihn. Er drehte den Kopf zur Seite und schluckte. Liz begann zu weinen. Sie ging hinüber bis ans Ende des Anlegeplatzes und sah ins Wasser hinab. Von der Bucht stieg Nebel auf. Ihr war kalt und unglücklich zumute, und alles war weg. Sie ging zurück zu der Stelle, wo Jim lag, und schüttelte ihn noch einmal, um sich zu vergewissern. Sie weinte.

„Jim“, sagte sie. „Jim. Bitte, Jim.“

Jim rührte sich und kringelte sich noch ein wenig fester zusammen. Liz zog ihren Mantel aus und beugte sich hinab und deckte ihn damit zu. Sie steckte ihn sorgfältig und 5 ordentlich um ihn herum fest. Dann ging sie quer über den Anlegeplatz und den steilen sandigen Weg hinan, um zu Bett zu gehen. Ein kalter Nebel stieg von der Bucht her durch die Wälder herauf.

5. James Joyce: Eveline

10 Sie saß am Fenster und sah zu, wie der Abend in die Straße eindrang. Ihr Kopf war an die Fenstervorhänge gelehnt, und in ihrer Nase war der Geruch von staubigem Kretonne. Sie war müde.

Wenige Menschen gingen vorüber. Der Mann aus dem 15 letzten Haus kam auf dem Heimweg vorbei; sie hörte seine Schritte auf dem Betonpflaster klappern und später auf dem Schlackenweg vor den neuen roten Häusern knirschen. Früher einmal war da ein Feld gewesen, auf dem sie jeden Abend mit den Kindern von andren Leuten gespielt hatten. 20 Dann kaufte ein Mann aus Belfast das Feld und baute Häuser darauf – nicht solche kleinen braunen Häuser wie ihre, sondern helle Backsteinhäuser mit glänzenden Dächern. Die Kinder der Straße spielten immer zusammen auf jenem Feld – die Devines, die Waters, die Dunns, der 25 kleine Krüppel Keogh, sie und ihre Brüder und Schwestern. Ernest jedoch spielte nie mit: er war zu erwachsen. Ihr Vater jagte sie oft mit seinem Schwarzdornstock aus dem Feld in die Häuser; aber gewöhnlich stand der kleine Keogh immer Schmiere und rief, wenn er ihren Vater kommen 30 sah. Trotzdem waren sie damals anscheinend ganz glücklich gewesen. Ihr Vater war damals noch nicht so schlimm; und außerdem lebte ja ihre Mutter noch. Das war lange her; sie und ihre Brüder und Schwestern waren alle erwachsen; ihre Mutter war tot. Tizzie Dunn war auch tot, und die Waters 35 waren nach England zurückgekehrt. Alles ändert sich. Jetzt würde sie fortgehen wie die anderen, ihr Elternhaus verlassen.

Elternhaus! Sie blickte sich im Zimmer um, musterte alle seine vertrauten Gegenstände, die sie so viele Jahre lang einmal die Woche abgestaubt hatte, und fragte sich, wo in aller Welt der ganze Staub bloß herkomme. Vielleicht würde sie diese vertrauten Gegenstände, von denen jemals getrennt zu werden sie sich nie hatte träumen lassen, nie mehr wiedersehen. Und doch hatte sie während all der Jahre nie den Namen des Priesters herausbekommen, dessen vergilbende Photographie an der Wand über dem kaputten Harmonium neben dem Farbdruck der Verheißungen hing, die der Seligen Margareta Maria Alacoque gemacht worden waren. Er war ein Schulfreund ihres Vaters gewesen. Wann immer ihr Vater die Photographie einem Besucher zeigte, ging er mit einem beiläufigen Wort darüber weg:

– Er ist jetzt in Melbourne.

Sie hatte eingewilligt fortzugehen, ihr Elternhaus zu verlassen. War das klug? Sie versuchte, beide Seiten der Frage gegeneinander abzuwägen. Im Elternhaus hatte sie auf jeden Fall ein Dach überm Kopf und zu essen; um sich hatte sie die, die sie ihr ganzes Leben gekannt hatte. Natürlich mußte sie zu Hause und im Geschäft hart arbeiten. Was würden sie im Laden von ihr sagen, wenn herauskam, daß sie mit einem Burschen davongelaufen war? Daß sie närrisch war vielleicht; und ihre Stelle würde durch eine Anzeige neu besetzt werden. Miss Gavan wäre froh. Sie hatte sie immer auf dem Kieker gehabt, vor allem immer dann, wenn Leute zuhörten.

– Miss Hill, sehen Sie denn nicht, daß diese Damen warten?

– Nicht so verschlafen gucken, Miss Hill, bitte.

Dem Laden würde sie nicht viele Tränen nachweinen.

Aber in ihrem neuen Heim in einem fernen unbekannten Land würde es anders sein. Sie wäre dann verheiratet – sie, Eveline. Die Leute würden sie dann mit Respekt behandeln. Sie würde nicht behandelt werden wie einst ihre Mutter. Selbst jetzt, obwohl sie doch über neunzehn war, fühlte sie sich manchmal nicht sicher vor der Gewalttätigkeit ihres Vaters. Sie wußte, es war das, was ihr das Herzklopfen verursacht hatte. Als sie heranwuchsen, war er nie auf sie losgegangen, so wie er immer auf Harry und Ernest losging, weil sie ein Mädchen war; aber seit einiger Zeit hatte er angefangen, ihr zu drohen und zu sagen, was er mit ihr machen würde, wenn er sich nicht um ihrer toten Mutter willen zurückhielte. Und jetzt hatte sie niemanden, der sie in Schutz nahm. Ernest war tot, und Harry, der im Devotionalienhandel war, reiste fast immer irgendwo im Land umher. Außerdem hatten die unvermeidlichen Geldzankereien am Samstagabend angefangen, ihr unaussprechlich lästig zu werden. Sie gab stets ihren ganzen Lohn – sieben Shilling –, und Harry schickte immer, was er konnte, aber die Schwierigkeit war, irgendwelches Geld von ihrem Vater zu bekommen. Er sagte, sie verschwende immer das Geld, sie habe nichts im Kopf, er würde ihr doch nicht sein schwerverdientes Geld geben, damit sie es zum Fenster hinausschmeiße, und vieles mehr, denn an Samstagabenden war er gewöhnlich ziemlich schlimm. Schließlich gab er ihr das Geld dann doch und fragte sie, ob sie eigentlich die Absicht habe, das Sonntagsessen einzukaufen. Dann mußte sie so schnell wie möglich hinausstürzen und ihre Einkäufe machen, ihre schwarze Lederbörse fest in der Hand, während sie sich mit den Ellbogen den Weg durch die Menge bahnte, und erst spät kehrte sie, beladen mit ihren Vorräten, nach Hause zurück. Es war harte Arbeit für sie, den Haushalt in Ordnung zu halten und dafür zu sorgen, daß die beiden jüngeren Kinder, die ihr anvertraut waren, regelmäßig zur Schule gingen und regelmäßig zu essen bekamen. Es war harte Arbeit – ein hartes Leben –, aber jetzt, da sie im Begriff war, es zu verlassen, fand sie es kein gänzlich unerträgliches Leben.

Sie war im Begriff, mit Frank ein neues Leben zu erforschen. Frank war sehr gut, männlich, offenherzig. Sie sollte mit ihm auf der Nachtfähre wegfahren, um seine Frau zu werden und mit ihm in Buenos Aires zu leben, wo sein Heim auf sie wartete. Wie gut erinnerte sie sich an das erste Mal, als sie ihn sah; er logierte in einem Haus an der

Hauptstraße, wo sie immer Besuche machte. Es schien erst einige Wochen her zu sein. Er stand am Tor, die spitze Mütze nach hinten geschoben, und sein Haar fiel nach vorne in ein bronzenes Gesicht. Dann hatten sie sich kennengelernt. Jeden Abend holte er sie vor dem Laden ab und brachte sie nach Hause. Er ging mit ihr in *Die Zigeunerin*, und sie war in gehobener Stimmung, als sie mit ihm zusammen in einem ungewohnten Teil des Theaters saß. Er hatte Musik schrecklich gern und sang selber ein wenig. Die Leute wußten, daß sie miteinander gingen, und wenn er sang vom Mädchen, das den Seemann liebt, fühlte sie sich stets angenehm verwirrt. Aus Spaß nannte er sie immer Poppens. Zuerst war es ihr aufregend vorgekommen, einen Burschen zu haben, und dann hatte sie Gefallen an ihm gefunden. Er wußte Geschichten von fernen Ländern. Er hatte als Schiffsjunge für ein Pfund im Monat auf einem Schiff der Allan-Linie im Kanadadienst angefangen. Er nannte ihr die Namen der Schiffe, auf denen er gewesen war, und die Namen der verschiedenen Linien. Er war durch die Magellan-Straße gefahren, und er erzählte ihr Geschichten über die schrecklichen Patagonier. Er sei in Buenos Aires auf die Füße gefallen, sagte er, und in die alte Heimat sei er nur herübergekommen, um Ferien zu machen. Natürlich hatte ihr Vater von der Affäre Wind bekommen und ihr verboten, irgendetwas mit ihm zu tun zu haben.

– Ich kenne diese Seesäcke, sagte er.

Eines Tages hatte er mit Frank gestritten, und danach mußte sie ihren Geliebten heimlich treffen.

Der Abend wurde dunkler auf der Straße. Das Weiß der beiden Briefe auf ihrem Schoß wurde undeutlich. Der eine war an Harry; der andere an ihren Vater. Ernest war ihr der liebste gewesen, aber auch Harry mochte sie gern. Ihr Vater wurde in letzter Zeit alt, stellte sie fest; er würde sie vermissen. Manchmal konnte er sehr nett sein. Vor noch nicht so langer Zeit, als sie einen Tag lang das Bett hüten mußte, hatte er ihr eine Gespenstergeschichte vorgelesen und am Feuer für sie Toast gemacht. Ein andermal, als ihre Mutter noch am Leben war, hatten sie alle zusammen einen Ausflug zum Hill of Howth gemacht. Sie erinnerte sich, wie ihr Vater sich die Haube ihrer Mutter aufgesetzt hatte, um die Kinder zum Lachen zu bringen.

Ihre Zeit wurde allmählich knapp, aber sie blieb weiter am Fenster sitzen, lehnte den Kopf an den Fenstervorhang und atmete den Geruch von staubigem Kretonne ein. Weit entfernt auf der Straße konnte sie eine Drehorgel hören. Sie kannte die Melodie. Seltsam, daß sie ausgerechnet an diesem Abend zu hören war und sie an das Versprechen erinnerte, das sie ihrer Mutter gegeben hatte, ihr Versprechen, das Elternhaus so lang sie konnte zusammenzuhalten. Sie mußte an die letzte Nacht der Krankheit ihrer Mutter denken; wieder war sie in dem engen dunklen Zimmer auf der anderen Seite des Flurs, und draußen hörte sie eine wehmütige italienische Melodie. Den Drehorgelmann hatte man aufgefordert, zu verschwinden, und ihm Sixpence gegeben. Sie mußte daran denken, wie ihr Vater zurück ins Krankenzimmer gestelzt war und gesagt hatte:

– Diese verdammten Italiener! hier herüber zu kommen!

Während sie so sann, drang ihr die Vorstellung von dem kläglichen Leben ihrer Mutter wie eine Verwünschung bis ins Mark – dieses Leben aus banalen Opfern, das schließlich im Wahnsinn endete. Sie zitterte, als sie ihre Mutter wieder mit törichter Hartnäckigkeit sagen hörte:

– Derevaun Seraun. Derevaun Seraun!

Von jähem Schrecken gepackt, stand sie auf. Fliehen! Sie mußte fliehen! Frank würde sie retten. Er würde ihr Leben schenken, vielleicht auch Liebe. Aber sie wollte leben. Warum sollte sie unglücklich sein? Sie hatte ein Anrecht auf Glück. Frank würde sie in seine Arme nehmen, sie in seine Arme schließen. Er würde sie retten.

Sie stand in der hin- und herdrängenden Menge auf den Landungsbrücken am North Wall Quay. Er hielt ihre Hand, und sie wußte, daß er auf sie einsprach, daß er immer wieder etwas von der Überfahrt sagte. Die Landungsbrükken waren voller Soldaten mit braunen Gepäckstücken. Durch die weiten Türen der Schuppen erblickte sie ein Stück der schwarzen Masse des Schiffes, das mit erleuchte-

ten Bullaugen an der Mauer des Quays lag. Sie antwortete nichts. Ihe Wangen fühlten sich bleich und kalt, und aus einem Labyrinth der Seelennot heraus bat sie Gott, ihr den Weg zu weisen, ihr zu zeigen, was ihre Pflicht war. Die Schiffssirene tönte lang und kummervoll in den Nebel. 5
Wenn sie ginge, wäre sie morgen mit Frank auf dem Meer, unterwegs nach Buenos Aires. Ihrer beider Überfahrt war gebucht. Konnte sie noch zurück nach allem, was er für sie getan hatte? Ihre Seelennot verursachte ihrem Körper Übelkeit, und immerfort bewegte sie die Lippen in stum- 10
mem inbrünstigen Gebet.

Eine Glocke dröhnte gegen ihr Herz. Sie fühlte, wie er ihre Hand packte:

– Komm!

Alle Wasser der Welt brandeten um ihr Herz. Er zog sie 15
in sie hinein: er würde sie ertrinken lassen. Sie klammerte sich mit beiden Händen an das Eisengitter.

– Komm!

Nein! Nein! Nein! Es war unmöglich. Wild umklammerten ihre Hände das Eisen. Inmitten der Wasser stieß sie 20
einen Schrei der Qual aus!

– Eveline! Evvy!

Er trat schnell hinter die Absperrung und rief ihr zu, ihm zu folgen. Er wurde angebrüllt, er solle weitergehen, aber immer noch rief er nach ihr. Sie richtete ihr weißes Gesicht 25
auf ihn, passiv, wie ein hilfloses Tier. Ihre Augen gaben ihm kein Zeichen der Liebe oder des Abschieds oder des Erkennens.

6. Marie Luise Kaschnitz: Ferngespräche

Ich bins, Paul, Angeli, sagte die junge Angelika Baumann 30
(am Telefon) zu ihrem Freund Paul – ich stör dich doch nicht? Du hast vielleicht gearbeitet, nein? – da bin ich froh. Ich hab dich nur fragen wollen, ob du etwas gehört hast, ich meine von deinem Vater ... Ja, natürlich bin ich ungeduldig, ich denk doch an nichts anderes, ich mal mir das aus, 35

unseren Besuch bei ihm, und ein bißchen Angst hab ich auch. ... Es wird ihm schon recht sein, sagst du? Ach ja, ich wünschte, es wäre ihm recht. Ich möcht ihn wohl liebhaben, alle deine Verwandten möcht ich lieb haben, besonders deine Schwester, ich hab ja keine und hab mir immer eine gewünscht ... Ende der Woche? Ja, natürlich paßt mir das, ich leb ja nur darauf hin, auf den Besuch bei deinem Vater, und wenn der vorbei ist und wir weggehen, dann sind wir richtig verlobt ... Nein, lach nicht. Paul, du darfst nicht lachen, du weißt ja nicht ... ich bin heute durch den Englischen Garten gegangen ... ein schöner Tag? Ja, sicher ein schöner Tag. Ich hab aber nichts gesehen, keine Fliederbüsche und keine Butterblumen, auf jeder Bank bist du gesessen, und jeder, der mir von weitem entgegengekommen ist, warst du. Und ich hab gedacht, das vorher, bevor ich dich gekannt habe, das war gar kein Leben, und wenn du weggingest und nicht mehr wiederkämest, das ... Dumm, ja, ja, das bin ich, ganz dumm. Ich sag ja auch nichts mehr, ich hab nur wissen wollen, ob du schon Nachricht hast. Aber jetzt wart ich bis zum Ende der Woche, da ist mein Namenstag – sie sollen dich mir zum Namenstag schenken – liebes Fräulein Angeli, da haben Sie unseren Paul. Machen Sie ihn glücklich ... Du bist es schon? Du bist schon glücklich? ... Nein, nein, jetzt sag nichts mehr, etwas Besseres kannst du nicht sagen, das war das Beste, jetzt häng ich ein ...

Hör mal, sagte der alte Mann (am Telefon) zu seiner Tochter Elly, du mußt deinem Bruder ins Gewissen reden. Es handelt sich ja nicht um Standesvorurteile. Wenn sie jemand wäre, meinetwegen auch eine Filmschauspielerin oder eine Tänzerin, aber eben jemand Besonderes, jemand Bekanntes, dann könnte sie auch aus der Hafengasse stammen. Aber sie ist gar nichts, einfach kleine Leute, ein hübsches Gesichtchen, solange sie jung ist, später eine Madam ... Nein, gesehen hab ich sie nicht, nur eine Photographie, niedlich und so etwas Rührendes in den Augen. Aber wie schnell geht das vorbei. Dann hat sie Speck an den Hüften, und die Finger sind ohnehin kurz und dick. Der Paul kann so etwas nicht machen, ich weiß, wie das ausgeht, nämlich schlecht, für alle Teile schlecht. In ein paar Jahren genügt sie ihm nicht mehr, ich meine gesellschaftlich. Er ist ein ganz guter Kaufmann und hat den Doktor, in ein paar Jahren ist er dann so weit, daß er sich mit einer Frau, die keine fremde Sprache spricht und Picasso für einen provenzalischen Eintopf hält, lächerlich macht. Die kann man nicht einladen, heißt es dann, eine unmögliche Person, und er muß sich immer etwas Neues ausdenken, meine Frau ist leidend, meine Frau kann von den Kindern nicht weg. Und eines Tages hat er bei Tisch eine neben sich, eine schöne, gepflegte, spöttische, die ihm zeigt, daß er ihr nicht gleichgültig ist, und schon denkt er, Herrgott, wenn ich noch frei wäre, frei ... Also sei so gut und sage das dem Paul, ich will mich da noch nicht einmischen, aber eine Heirat, das kommt nicht in Frage. Du kannst auch deine Tante Julie anrufen, ich glaube, sie ist aus Gastein zurück. Wir müssen alle zusammenhalten, eine Familie, das ist eine Macht, auch wenn nicht alle in derselben Stadt hocken, wozu gibt es das Telefon. Sag mir noch schnell, wie es den Kindern geht ... Laß sie nicht zu früh aufstehen, nach den Masern gibt es leicht Komplikationen. Ruf mich wieder an, aber nicht morgen abend, da hab ich ein Herrenessen, und übermorgen ... du mußt es eben versuchen, einmal bin ich schon da.

Du weißt natürlich, warum ich anrufe, Tante Ju, sagte Elly (am Telefon) zu ihrer Tante Julie ... der Papa will, du sollst dich da einschalten, ältere Generation und so weiter, und weil es ja wirklich eine Dummheit ist, was der Paul da vorhat, ich hab immer gesagt, der wird einmal geheiratet, der heiratet nicht. Ob ich sie kenne, ja natürlich, einmal gesehen. Wenn du mich fragst, der sanfte Typ mit dem eisernen Willen, die geht aufs Ganze und nicht auf den hübschen Jungen allein ... Was du machen sollst? Ihn anrufen natürlich, pausenlos anrufen, oder ein anderes Mädchen dazwischenschieben, du hast doch so viele Bekannte. Schick ihm eine, die er in München herumführen soll, dir zuliebe, und abends ins Theater, nur daß er einmal sieht, daß es auch noch andere Frauen gibt ... Was sagst du? Wenn er sie liebt? Ich bitte dich, Tante Ju, sei doch nicht kindisch, wer sagt denn, daß er sie nicht noch besuchen darf, meinetwegen auch mit ihr schlafen. Du hast da Begriffe, wirklich noch aus dem vorigen Jahrhundert, entschuldige schon. Wenn du nicht weißt, was du ihm sagen sollst, so sag halt, der Papa wird sich aufregen, Blutdruck zweihundert hat er schon, und Kinder sollen ihre Eltern ehren. Aus deinem Mund macht sich das ganz gut. Übrigens regt er sich wirklich auf, der Papa, er hat seine ganz bestimmten Absichten, vielleicht geht es ihm auch geschäftlich augenblicklich gar nicht so prima. Vielleicht braucht er so etwas wie eine Heiratsanzeige auf Bütten und eine Hochzeit in Brenners Kurhof, da wird noch einmal tüchtig hineingebuttert, aber es macht sich bezahlt ... Sorgen? Na ja, ich weiß nicht, vielleicht ja, vielleicht nein, ich würde sagen eher nein. Jedenfalls du, unterdrück deine sentimentalen Anwandlungen, die Familie muß zusammenhalten. Mein Mann will auch einmal mit dem Paul sprechen, so von Mann zu Mann, wenn er Zeit hat, aber du weißt ja, er hat keine Zeit.

Nein, nichts Großes, sagte Tante Julie (am Telefon) zu ihrem Neffen Paul, nur sechs Personen, zum Abendessen, Hummercreme in Tassen und Lammschulter mit jungen Bohnen und irgendeine süße Speise hinterher. Du kannst in der Nacht noch zurückfliegen. Tu deiner alten Tante den Gefallen. Mir fehlt ein Kavalier für ein schönes Mädchen, rötlichblonde Haare, ganz dein Typ. Südamerikanerin übrigens, ich meine, dort geboren und aufgewachsen, aber von deutschen Eltern, und gerade im Begriff, sich die alte Heimat anzusehen. Du kannst ihr da doch ein bißchen zur Hand gehen. Du kennst dich so gut aus. Museen, Ausstellungen, Theater und so ... Ja, das hast du schon geschrieben, daß du verabredet bist für dieses Wochenende, aber weißt du, ich laß das nicht gelten. Nein, mein Lieber, das mußt du absagen, den Gefallen mußt du mir schon tun ... Wie sagst du? – mit deiner Braut, das ist ja das erste Wort, was ich höre. Nein, offengestanden, ich kann nicht lügen, ich habe es schon gehört, aber nicht ernst genommen, du bist doch noch viel zu jung zum Heiraten, und deinem Vater wird das gar nicht angenehm sein. Hoffentlich hast du dich noch nicht wirklich gebunden, ich meine mit Heiratsversprechen und Ringen und so weiter. In unseren Kreisen wäre das nicht so wichtig, aber ... Na hör mal, Paulchen, schrei mich nicht an. Du bist wohl völlig mit den Nerven herunter, du, das kann ich verstehen. Das ist ja auch nichts für dich, du bist keine Kampfnatur, und natürlich wird es da allerlei Schwierigkeiten geben. Du mußt dir das noch einmal sehr genau überlegen. Vor allem die Eltern kennenlernen, ich meine gut kennenlernen, vor allem die Mutter, wie die Mutter heute ist, wird die Tochter in fünfundzwanzig Jahren ..., ich weiß das, ich habe es beobachtet, ich bin eben so ein Mensch, der sich über alles Gedanken macht. Du darfst mir das nicht übelnehmen, ich habe nichts gegen kleine Leute, und da hast du recht, Frauen sind anpassungsfähig, aber eben nur bis zu einem gewissen Grad ... Nein, ich höre jetzt auf, du wirst ein guter Junge sein und zu meinem kleinen Abendessen kommen, komm schon ein bißchen früher, dann reden wir weiter. Wie ich höre, geht es dem Papa gar nicht besonders gut. Übrigens kannst du natürlich deine Braut auch mitbringen, ich muß es nur wissen, damit ich noch einen Herrn für sie habe. Kleines Abendkleid, und sie spricht doch gut Französisch? Ich habe nämlich den belgischen Konsul, reizender Mensch und großer Sammler, du, das wird dich interessieren, Heiligenbilder hinter Glas –

Hör zu, Paulchen, sagte Elly (am Telefon) zu ihrem Bruder, die Geschichte mit deinem Mädchen ... natürlich, das weiß jeder und auch, daß du am nächsten Sonntag mit ihr an der Hand beim Papa erscheinen willst. Aber ich meine, du könntest diesen Besuch noch ein bißchen verschieben. Der Papa hat sich nämlich etwas ausgedacht, er will dir eine Reise schenken. Er hat schon mit deinem Chef gesprochen. Du sollst da zugleich geschäftlich einiges erledigen, damit es dir nicht als Urlaub angerechnet wird ... Also wirklich, du kannst dem Papa diese Freude nicht verderben, wenn du zurückkommst, ist immer noch Zeit genug. Wohin ... Das weiß ich nicht genau, ich glaube Kanada. Mit dem Flugzeug ist das ja auch nur ein Katzensprung. Auf jeden Fall könntest du hier vorbeikommen, die Kinder sind nicht mehr ansteckend, und wir würden uns freuen, du könntest dich auch ein bißchen ausruhen, weißt du was, ich fahre dich mit meinem neuen Roten an die Elbe, nach Blankenese oder so, da gehen wir spazieren. Tante Ju sagte nämlich, du habest, als du neulich bei ihr warst, schrecklich schlecht ausgesehen, so als ob dich etwas bedrückt. Vielleicht ist es die Sache mit dem Mädchen, Angelika heißt sie wohl, hübscher Name, und wie weiter ... Baumann, und wohnt in München, wo? ... Nein, nein, ich gedenke nicht, sie zu besuchen, ich kann ja hier auch gar nicht weg. Ich möchte dir bloß einen Rat geben, was sagst du ... wie man jemanden sitzenläßt? Also sei doch nicht albern. Erinnere dich daran, wie du mir damals den Sänger ausgeredet hast, in den ich so verschossen war. Ich hab den übrigens vor kurzem einmal wiedergesehen, also du ahnst es nicht, wie er jetzt aussieht, ich konnte bloß lachen, und natürlich bin ich dir ewig dankbar dafür ... Das kann man nicht vergleichen, sagst du, na ja, vielleicht kann man es wirklich nicht vergleichen, aber ich habe schon genug, wenn ich nur deine Stimme höre. So etwas Gequältes, keine Spur von „Ihr könnt mich alle gern haben, und ich mache doch, was ich will." So eine Stimme hast du gehabt, als du mit vierzehn Jahren von zu Hause durchbrennen wolltest, Schiffsjunge, Dockarbeiter, erinnere dich. Es war natürlich furchtbar zu Hause, aber doch auch ganz angenehm, und du bist einmal nicht fürs Zwischendeck, jetzt so wenig wie damals. Damals hab ich dir deine Schuhe verstecken müssen, weil du es nicht eingesehen hast, aber ich bin sicher, jetzt siehst du es ein ... was ich mit dem Zwischendeck meine, nun, das kannst du dir schon denken, keine Zuschüsse mehr, unter Umständen auch kein Erbe, je nachdem, wie wütend der Papa wird ... Nein, natürlich hast du sie nicht von der Straße aufgelesen, das sagt ja auch keiner ... wie bitte, kleines Kurzwarengeschäft? Na siehst du, da müßt ihr dann am Sonntag immer zum Mittagessen hin, da gibt es Schweinebraten und

Rotkraut und Apfelkuchen aus dickem Hefeteig. Und bei der Hochzeit muß der Papa die Kurzwarenmama zu Tisch führen und sie nach dem Umsatz von Gummiband fragen. Kannst du dir das vorstellen? – ich, offengestanden, nicht.

Nein, wirklich, Angeli, sagte Paul (am Telefon) zu seiner Freundin, ich habe nichts, es tut mir nur leid, daß wir übermorgen nicht nach Düsseldorf fahren können, es ist da verschiedenes dazwischengekommen. Nein, nicht bei mir, meinem Vater paßt es diesen Sonntag nicht, ich meine, daß wir *zusammen* kommen, ich muß schon hin. Er hat etwas mit mir zu besprechen, ich soll für das Geschäft eine Reise machen. Nein, nicht lang – Herrgott, deswegen brauchst du doch nicht gleich zu weinen, und überhaupt wird das später auch nicht anders, daran mußt du dich gewöhnen, ewig zu Hause sitzen kann ich nicht ... Zuerst? Was verstehst du unter zuerst? ... Als noch niemand etwas wußte ... ja, nun wissen sie es eben und müssen sich damit abfinden, Familien haben immer andere Pläne, und sie haben eben auch andere Pläne gehabt. Zuerst sind wir jeden Abend spazierengegangen? Gott, mach mich doch nicht nervös, gleich wirst du fragen, ob ich dich noch liebhabe. Natürlich hab ich dich lieb, ich bin überhaupt nur bei dir glücklich. Ich hab das gemerkt, als ich bei Tante Julie zum Abendessen war, da hab ich die ganze Zeit Löcher in die Luft gestarrt und keine Antworten gegeben, und Tante Ju, die mir eigentlich bei der Gelegenheit eine andere Braut andrehen wollte, hat mir zugetrunken, und das hat heißen sollen, ich sehe schon, es hat keinen Sinn ... Nein, mit der jungen Dame bin ich nicht verabredet, Herrgott, glaub mir das doch, und sprich nicht immer von „meiner Welt“. Ich hab ein Zuhause wie alle Leute, aber eine Welt will ich mir mit dir aufbauen, vielleicht hier, vielleicht ganz woanders, ... nein, nein, ich weiß noch nicht wo. Jetzt muß ich aufhören, sag noch etwas Nettes ... Nein, nur das nicht, daß du Angst hast, wovor denn eigentlich Angst. Leg eine Platte auf, unsere Platte, Porgy and Bess, It isn't necessarily so, ... nein, vorbeikommen kann ich nicht mehr, ich fahre schon heute abend, weil die Straßen da leerer sind ... Eine komische Stimme? Was du dir alles einbildest ... nun ja, es *gibt* Schwierigkeiten, aber es ist doch nicht nötig, daß du so mißtrauisch bist ... doch, das bist du, du hast kein Vertrauen zu mir, wahrscheinlich hörst du zuviel auf deine Eltern ... keinen Kontakt, sagst du, mit wem soll ich denn Kontakt haben, mit deinen Eltern oder mit dir? Aber bitte, mach nur so weiter ... Was sagst du, Angeli? ... Ach sag doch etwas ... sei mir nicht böse ... hör doch, es wird alles wieder gut ...

Fräulein Baumann, sagte Pauls Schwester Elly (am Telefon) zu Pauls Freundin Angelika. Sie werden sich wundern, daß ich Sie anrufe, obwohl ich Sie so gut wie gar nicht kenne. Aber ich bin Pauls Schwester, und Paul hat mir von Ihnen erzählt ... nein, ich bin nicht in München, ich bin zu Hause in Hamburg ... nein, nein, regen Sie sich doch nicht auf, dem Paul ist nichts geschehen ... Hören Sie doch einmal einen Augenblick ruhig zu, Fräulein Baumann. Ich weiß ja nicht, was der Paul Ihnen von seiner Familie erzählt hat und ob er überhaupt etwas erzählt hat, er ist wahrscheinlich jetzt in einem Zustand, wo er denkt, daß er ohne seine Familie ganz gut auskommen kann. Aber es wird Sie vielleicht interessieren, auch einmal auf diesem Wege etwas über ihn zu erfahren, nämlich das kann er nicht, ich meine, ohne seine Familie auskommen kann er nicht ... Das muß er doch auch nicht, sagen Sie? Natürlich nicht, jedenfalls, wenn Sie so sind, wie ich Sie mir vorstelle, nämlich als ein Mädchen, das nicht unbedingt unter die Haube kommen will ... na sehen Sie, das hab ich mir doch gleich gedacht. Wenn ich Ihnen jetzt etwas erzählen wollte von ewiger Liebe, würden Sie mich auslachen, ich weiß ja, wie junge Leute heutzutage sind, kühl, nüchtern, sie gehen ein Stück Wegs zusammen, und dann trennen sie sich wieder. Das ist ja das Schöne, es gibt keine Sentimentalitäten mehr, jeder hat sein eigenes Leben ... wie sagen Sie – das stimmt nicht? Nun, vielleicht stimmt es für Sie nicht? Aber für meinen Bruder, Sie haben das gewiß schon gemerkt ... Nein, *wir* sind nicht schuld, auch mein Vater nicht. Mein Vater möchte übrigens gern einmal mit Ihnen sprechen. Es könnte ja sein, daß Sie sich irgendwie verändern möchten, in eine andere Stadt ziehen, mal weg von zu Hause, das wäre doch begreiflich ... Sie würden Auslagen haben, die mein Vater ... nein, schreien Sie nicht, ich weiß gar nicht, warum Sie so aufgeregt sind. Dazu ist doch wirklich kein Grund. Ich gebe Ihnen auf jeden Fall die Adresse meines Vaters, haben Sie einen Bleistift, sonst warte ich ... Also Düsseldorf-Büderich, Kastanienallee 42. Er ist auch bereit, zu Ihnen zu kommen, aber vielleicht ist es besser, wenn Sie hinfahren, es wird Sie gewiß auch interessieren, wo der Paul aufgewachsen ist, und die Reise 1. Klasse bekommen Sie selbstverständlich ersetzt ... Sie werden fahren, sagen Sie? Nun, das freut mich wirklich. Aber warum haben Sie plötzlich eine so gehässige Stimme, nein, hängen Sie noch nicht ein. Fräulein Baumann, hören Sie doch ...

Das ist ja sehr freundlich, sagte Pauls Vater (am Telefon) zu Dr. Kaminsky, seinem Rechtsanwalt, daß Sie mir das alles herausgesucht haben, Entschädigung im Falle eines Eheversprechens usw. ... doch, natürlich das wollte ich, aber ich glaube, wir können das alles noch hinausschieben, es kann auch sein, daß aus der ganzen Sache nichts wird ... Gratulieren? Wieso gratulieren, das ist doch noch ein bißchen verfrüht – ach, Sie meinen, der Paul, dem Paul wollen Sie gratulieren, nein, nein, der wird das Mädchen nicht heiraten, auf keinen Fall. Er hat sich übrigens ganz leicht davon abbringen lassen, so eine große Liebe war das offenbar nicht. Er ist ja auch viel zu jung, Kaminsky, er weiß noch nicht, was er will. Und was hat denn ein Mädchen an so einem weichen, unentschlossenen Burschen? Frauen, das kann ich Ihnen sagen, suchen im Grunde etwas ganz anderes als ein bißchen Liebe, nämlich Schutz ... Was sagen Sie, ob ich sie kenne? Natürlich kenne ich sie, sie hat mich doch besucht. Ein hübsches Ding, war zuerst ein bißchen kratzbürstig, ein bißchen wild. Aber unsereiner, lieber Kaminsky, kann ja schließlich mit Frauen umgehen. Sie ist dann noch über Sonntag geblieben, und ich bin mit ihr an den Rhein gefahren und habe ihr meine Sammlungen gezeigt ... Dumm? Nein gar nicht, jedenfalls ganz gelehrig, und so was Liebes hat sie gehabt, wenigstens zum Schluß. Schlecht angezogen natürlich, wenn nicht gerade Sonntag gewesen wäre, hätte ich ihr gern etwas Hübsches gekauft ... Ob sie das angenommen hätte, nein, wahrscheinlich nicht, nicht einmal das Geld für die Fahrkarte hat sie sich zurückgeben lassen. – Also, Sie hören von mir, das ist alles nicht so einfach, man muß warten, bis der Paul aus Kanada zurückkommt. Vielleicht fahre ich auch inzwischen noch einmal nach München, ich habe ohnehin dort zu tun ... Ob ich was? Nein, also hören Sie, da muß ich lachen. Aber gefallen hab ich ihr, so etwas merkt man doch. – Und jetzt bitte entschuldigen Sie mich, ich habe mir in der Mittagspause den Trainer bestellt ... Ja, Tennis, doch, das wird mir guttun, man darf doch nicht warten, bis man steif wird – da ist er schon, leben Sie wohl, lieber Kaminsky, leben Sie wohl.

Ju, sagte Pauls Schwester Elly (am Telefon) zu ihrer Tante Julie, ich hoffe, du hast noch nicht geschlafen ... doch geschlafen? Na, du hast ja das Telefon am Bett. Es tut mir wirklich leid, daß ich so spät noch anrufe, aber ich *muß* wissen, was du dazu sagst, daß der Papa in den letzten zehn Tagen zweimal nach München gefahren ist ... Wie? Ja, natürlich zu dem Mädchen. Mein Gott, ist das eine Gerissene, und ich selbst habe sie noch nach Düsseldorf geschickt. Ich könnte mich ohrfeigen, weißt du. Aber wer kommt denn auf so etwas, der Papa ist jetzt einundsechzig und hat schon einen Infarkt gehabt, und immer hat er gesagt, daß er die Mama nicht vergessen kann. Doch, das glaube ich, daß er sie heiraten will. Ich kann es natürlich nicht wissen, aber so etwas fühlt man doch. Er hat an uns überhaupt kein Interesse mehr. Du erinnerst dich an die Sache vom Erwin, er wollte mit dem Minister sprechen, der Erwin hat ihn deswegen angerufen, es war ja sehr wichtig für uns. Der Papa hat sich auch erinnert, er hat aber nur gesagt, ja, ja, ich weiß schon, dazu habe ich jetzt keine Zeit. Und dann weißt du, Sibyllchen hat diese Woche Geburtstag gehabt ... doch natürlich hat sie dein Paket bekommen, tausend Dank; *du* hast daran gedacht, aber der Papa hat den Geburtstag total vergessen. Er hat doch sonst jedes Jahr ein silbernes Besteck geschickt, Sibyllchen ist schon zehn geworden, sie hat das Dutzend beinahe voll ... Erinnern, ja natürlich kann ich ihn daran erinnern, aber das ist doch peinlich, und überhaupt zeigt das nur, was wir zu erwarten haben, wenn er sich wirklich wieder verheiratet und ausgerechnet mit einer Zwanzigjährigen, die selbst noch Kinder bekommen kann ... Nein, hinfahren kann ich nicht, die Kinder gehen noch nicht wieder in die Schule, und außerdem ist sie mir neulich, als ich ganz freundlich mit ihr am Telefon gesprochen habe, patzig geworden. So, als wenn das unsere Schuld wäre, daß der Paul sich zurückgezogen hat, und daß die jungen Mädchen heutzutage kühl sind, wollte sie auch nicht wahrhaben. Aber das sieht man ja jetzt, was an der großen Liebe daran war und daß sie bloß in die Familie hineinwollte, und wenn es der Junge nicht sein kann, ist auch der Alte recht ... Der Paul, doch, er hat geschrieben, ganz vergnügt, er scheint froh zu sein, daß er fort ist, aber natürlich, was inzwischen hier gespielt wird, ahnt er nicht ... Ein Telegramm? Fällt mir nicht ein, damit machen wir uns nur lächerlich, und wenn der Papa sich einmal etwas in den Kopf setzt, bringt ihn keiner davon ab, wenigstens keins von uns Kindern, allenfalls noch du. Versprich mir, Tante Ju, daß du ihn anrufst, heute noch. Was sagst du, was du ihm sagen wirst – er sei ein alter Esel? Ja, das ist gut.

Wie lange schon, sagte Angelika Baumann (am Telefon) zu ihrer Freundin Renate, morgen sind es drei Monate. Und wieso in Düsseldorf? Weil ich hier verheiratet bin. – Doch, du hörst richtig, ich habe einen alten Mann geheiratet, einen mit viel Geld, so wie wir es uns manchmal ausgemalt haben, aber am Ende haben wir gelacht und gemeint, daß wir das doch nicht fertigbringen. Aber – nun habe ich es eben fertiggebracht ... Ja, natürlich. Einen Witwer ... Mit Kindern? Auch mit Kindern. Eine verheiratete Tochter und einen Sohn, auch schon längst erwachsen und macht Geschäfte, wie der Herr Papa ... In den werd ich mich

verlieben, meinst du? Nein, das werde ich nicht. Wie er aussieht, wer? Der Sohn? Ich weiß wirklich nicht, warum du immer nach dem Sohn fragst, der doch gar nicht hier ist und auch nicht herkommen wird. Auch die Tochter kommt
5 nicht mehr, und eine Tante war da noch, aber mein Mann will von seiner Familie nichts mehr wissen, er hat ihnen auch die Zuschüsse gesperrt. Mich? Ja, mich verwöhnt er. Schönes Haus, natürlich, neuerdings auch mit Schwimmbecken im Garten, und jetzt will er mir noch verschiedenes
10 kaufen, einen Bungalow im Tessin und einen Sportwagen, nur für mich ... Was sagst du? Zufrieden? Natürlich, ich bin zufrieden, schon weil die Familie sich ärgert, daß ich ein Kind kriege und daß das Kind einmal alles erben wird. So bin ich doch gar nicht? Doch, so bin ich, so war ich nicht
15 immer, so wird man unter Umständen, unter ganz gewissen Umständen, das kannst du nicht verstehen. Jetzt muß ich aufhören und mich umziehen, es kommen Leute zum Abendessen, auch ein Minister ist dabei. Wenn du etwas brauchst, schreib mir ... Uns sehen, sagst du? Ach nein,
20 das lieber nicht ... Soviel du dich erinnerst? Ja, du erinnerst dich gut. Ich habe einmal einen jungen Freund gehabt, ich hab ihn nicht heiraten können, seine Familie war dagegen, und er war schwach. Ich habe ihn nicht vergessen, aber deswegen – gerade deswegen –, nein, was
25 du dir einbildest. Meine Stimme ist wie immer. Warum sollte ich denn weinen, ich weine doch nicht – – –

7. Siegfried Lenz: Eine Liebesgeschichte

Joseph Waldemar Gritzan, ein großer, schweigsamer Holzfäller, wurde heimgesucht von der Liebe. Und zwar hatte er
30 nicht bloß so ein mageres Pfeilchen im Rücken sitzen, sondern, gleichsam seiner Branche angemessen, eine ausgewachsene Rundaxt. Empfangen hatte er diese Axt in dem Augenblick, als er Katharina Knack, ein ausnehmend gesundes, rosiges Mädchen, beim Spülen der Wäsche zu
35 Gesicht bekam. Sie hatte auf ihren ansehnlichen Knien am

Flüßchen gelegen, den Körper gebeugt, ein paar Härchen im roten Gesicht, während ihre beträchtlichen Arme herrlich mit der Wäsche hantierten. In diesem Augenblick, wie gesagt, ging Joseph Gritzan vorbei, und ehe er sich's versah, hatte er auch schon die Wunde im Rücken. 5

Demgemäß ging er nicht in den Wald, sondern fand sich, etwa um fünf Uhr morgens, beim Pfarrer von Suleyken ein, trommelte den Mann Gottes aus seinem Bett und sagte: „Mir ist es", sagte er, „Herr Pastor, in den Sinn gekommen, zu heiraten. Deshalb möchte ich bitten um einen 10 Taufschein."

Der Pastor, aus mildem Traum geschreckt, besah sich den Joseph Gritzan ziemlich ungnädig und sagte: „Mein Sohn, wenn dich die Liebe schon nicht schlafen läßt, dann nimm zumindest Rücksicht auf andere Menschen. Komm 15 später wieder, nach dem Frühstück. Aber wenn du Zeit hast, kannst du mir ein bißchen den Garten umgraben. Der Spaten steht im Stall."

Der Holzfäller sah einmal rasch zum Stall hinüber und sprach: „Wenn der Garten umgegraben ist, darf ich dann 20 bitten um den Taufschein?"

„Es wird alles genehmigt wie eh und je", sagte der Pfarrer und empfahl sich.

Joseph Gritzan, beglückt über solche Auskunft, begann dergestalt den Spaten zu gebrauchen, daß der Garten 25 schon nach kurzer Zeit umgegraben war. Dann zog er, nach Rücksprache mit dem Pfarrer, den Schweinen Drahtringe durch die Nasen, melkte eine Kuh, erntete zwei Johannisbeerbüsche ab, schlachtete eine Gans und hackte einen Berg Brennholz. Als er sich gerade daranmachte, 30 den Schuppen auszubessern, rief der Pfarrer ihn zu sich, füllte den Taufschein aus und übergab ihn mit sanften Ermahnungen Joseph Waldemar Gritzan. Na, der faltete das Dokument mit umständlicher Sorgfalt zusammen, wikkelte es in eine Seite des Masuren-Kalenders und ver- 35 wahrte es irgendwo in der weitläufigen Gegend seiner Brust. Bedankte sich natürlich, wie man erwartet hat, und machte sich auf zu der Stelle am Flüßchen, wo die liebliche Axt Amors ihn getroffen hatte.

Katharina Knack, sie wußte noch nichts von seinem Zustand, und ebensowenig wußte sie, was alles er bereits in die heimlichen Wege geleitet hatte. Sie kniete singend am Flüßchen, walkte und knetete die Wäsche und erlaubte sich in kurzen Pausen, ihr gesundes Gesicht zu betrachten, was im Flüßchen möglich war.

Joseph umfing die rosige Gestalt – mit den Blicken, versteht sich –, rang ziemlich nach Luft, schluckte und würgte ein Weilchen, und nachdem er sich ausgeschluckt hatte, ging er an die Klattkä, das ist: ein Steg, heran. Er hatte sich heftig und lange überlegt, welche Worte er sprechen sollte, und als er jetzt neben ihr stand, sprach er so: „Rutsch zur Seite."

Das war, ohne Zweifel, ein unmißverständlicher Satz. Katharina machte ihm denn auch schnell Platz auf der Klattkä, und er setzte sich, ohne ein weiteres Wort, neben sie. Sie saßen so – wie lange mag es gewesen sein? – ein halbes Stündchen vielleicht und schwiegen sich gehörig aneinander heran. Sie betrachteten das Flüßchen, das jenseitige Waldufer, sahen zu, wie kleine Gringel in den Grund stießen und kleine Schlammwolken emporrissen, und zuweilen verfolgten sie auch das Treiben der Enten. Plötzlich aber sprach Joseph Gritzan: „Bald sind die Erdbeeren soweit. Und schon gar nicht zu reden von den Blaubeeren im Wald." Das Mädchen, unvorbereitet auf seine Rede, schrak zusammen und antwortete: „Ja."

So, und jetzt saßen sie stumm wie Hühner nebeneinander, äugten über die Wiese, äugten zum Wald hinüber, guckten manchmal auch in die Sonne oder kratzten sich am Fuß oder am Hals.

Dann, nach angemessener Weile, erfolgte wieder etwas Ungewöhnliches: Joseph Gritzan langte in die Tasche, zog etwas Eingewickeltes heraus und sprach zu dem Mädchen Katharina Knack: „Willst", sprach er, „Lakritz?"

Sie nickte, und der Holzfäller wickelte zwei Lakritzstangen aus, gab ihr eine und sah zu, wie sie aß und lutschte. Es schien ihr gut zu schmecken. Sie wurde übermütig – wenn auch nicht so, daß sie zu reden begonnen hätte –, ließ ihre Beine ins Wasser baumeln, machte kleine Wellen und sah hin und wieder in sein Gesicht. Er zog sich nicht die Schuhe aus.

Soweit nahm alles einen ordnungsgemäßen Verlauf. Aber auf einmal – wie es zu gehen pflegt in solchen Lagen – rief die alte Guschke, trat vors Häuschen und rief: „Katinka, wo bleibt die Wäsch'!"

Worauf das Mädchen verdattert aufsprang, den Eimer anfaßte und mir nichts, dir nichts, als ob die Lakritzstange gar nichts gewesen wäre, verschwinden wollte. Doch, Gott sei Dank, hatte Joseph Gritzan das weitläufige Gelände seiner Brust bereits durchforscht, hatte auch schon den Taufschein zur Hand, packte ihn sorgsam aus und winkte das Mädchen noch einmal zu sich heran.

„Kannst", sprach er, „lesen?"

Sie nickte hastig.

Er reichte ihr den Taufschein und erhob sich. Er beobachtete, während sie las, ihr Gesicht und zitterte am ganzen Körper.

„Katinka!" schrie die alte Guschke. „Katinka, haben die Enten die Wäsch' gefressen?!"

„Lies zu Ende", sagte der Holzfäller drohend. Er versperrte ihr, weiß Gott, schon den Weg, dieser Mensch.

Katharina Knack vertiefte sich immer mehr in den Taufschein, vergaß die Welt und Wäsche und stand da, sagen wir mal: wie ein träumendes Kälbchen, so stand sie da.

„Die Wäsch', die Wäsch'", keifte die alte Guschke von neuem.

„Lies zu Ende", drohte Joseph Gritzan, und er war so erregt, daß er sich nicht einmal wunderte über seine Geschwätzigkeit.

Plötzlich schoß die alte Guschke zwischen den Stachelbeeren hervor, ein geschwindes, üppiges Weib, schoß hervor und heran, trat ganz dicht neben Katharina Knack und rief: „Die Wäsch', Katinka!" Und mit einem tatarischen Blick auf den Holzfäller: „Hier geht vor die Wäsch', Cholera!"

O Wunder der Liebe, insbesondere der masurischen; das Mädchen, das träumende, rosige, hob seinen Kopf, zeigte der alten Guschke den Taufschein und sprach: „Es ist“, sprach es, „besiegelt und beschlossen. Was für ein schöner Taufschein! Ich werde heiraten.“ Die alte Guschke, sie war zuerst wie vor den Kopf getreten, aber dann lachte sie und sprach: „Nein, nein“, sprach sie, „was die Wäsch' alles mit sich bringt! Beim Einweichen haben wir noch nichts gewußt. Und beim Plätten ist es schon soweit.“

Währenddessen hatte Joseph Gritzan wiederum etwas aus seiner Tasche gezogen, hielt es dem Mädchen hin und sagte: „Willst noch Lakritz?“

8. Bernard Malamud: Die ersten sieben Jahre

Feld, der Schuster, ärgerte sich über seinen Gehilfen Sobel. Sobel, der an der zweiten Werkbank saß, hörte nicht einen Augenblick mit seinem fanatischen Hämmern auf; er hatte nicht bemerkt, daß der Meister in Träumerei versunken dasaß. Er warf ihm einen Blick zu, aber Sobels Kahlkopf blieb über den Leisten gebeugt, er arbeitete und merkte nichts. Feld zuckte die Achseln und fuhr fort, durch die halb zugefrorene Scheibe in den dichten Dunst des Schneetreibens hinauszuspähen. Es war Februar. Weder die ziehenden weißen Schleier draußen noch die plötzliche, eindringliche Erinnerung an das verschneite polnische Dorf, in dem er seine Jugend vertan hatte, konnten seine Gedanken von Max, dem Studenten, ablenken (schon seit dem frühen Morgen, da er ihn auf dem Weg zu seinem College durch die Schneewehen hatte stapfen sehen, mußte er an ihn denken). Er hegte eine tiefe Verehrung für ihn wegen all der Opfer, die er nun schon seit Jahren brachte – im Winter wie in der schlimmsten Sommerhitze –, um eine akademische Bildung zu erlangen. Ein alter Wunsch stieg wieder in dem Schuhmacher auf: wenn er doch statt der Tochter einen Sohn hätte, aber dieser Wunsch verwehte mit dem Schnee, denn Feld war ein Mann der Tatsachen. Und doch konnte er nicht umhin, den Fleiß des Jungen, der der Sohn eines Hausierers war, mit der Gleichgültigkeit zu vergleichen, die Mirjam in Bildungsfragen zeigte. Man sah sie immer mit einem Buch in der Hand, das mußte er zugeben, aber als sich ihr die Gelegenheit bot, auf ein College zu gehen, hatte sie gesagt, nein, sie wollte sich lieber eine Stelle suchen. Er hatte sie angefleht, die Gelegenheit wahrzunehmen, hatte ihr vorgehalten, wie viele Väter es sich nicht leisten könnten, ihre Kinder auf die Universität zu schicken, aber sie hatte gesagt, sie wolle unabhängig sein. Bildung, sagte sie, könne man sich auch aus Büchern aneignen, und Sobel, der Gehilfe, der fleißig die Klassiker las, würde sie wie bisher beraten. Ihre Antwort bekümmerte den Vater sehr.

Eine Gestalt tauchte aus dem Schnee auf, und die Tür öffnete sich. Der Mann trat an die Theke und zog aus einem durchnäßten Papierbeutel ein Paar ausgetretene, reparaturbedürftige Schuhe. Im ersten Augenblick ahnte der Schuhmacher nicht, wer da vor ihm stand, dann, noch bevor er das Gesicht genau gesehen hatte, wußte er es, und sein Herz bebte bei dieser Erkenntnis. Max selber war es, der dort stand und voller Verlegenheit erklärte, was mit seinen alten Schuhen geschehen solle. Obwohl Feld aufmerksam horchte, konnte er kein Wort verstehen, denn die Gelegenheit, die sich ihm hier so plötzlich bot, machte ihn taub.

Er hätte nicht genau sagen können, wann ihm der Gedanke zuerst gekommen war, aber es war ganz gewiß, daß er schon mehr als einmal sich vorgenommen hatte, dem Jungen den Vorschlag zu machen, er solle einmal mit Mirjam ausgehen. Er hatte es bis heute nicht gewagt, denn wenn Max nein sagte, wie sollte er ihm dann jemals wieder ins Gesicht sehen? Oder vielleicht würde Mirjam, die so oft ihre Selbständigkeit betonte, außer sich geraten und ihn anschreien, daß er sich in ihre Angelegenheiten mische. Und doch: die Gelegenheit war zu günstig, als daß er sie hätte vorübergehen lassen dürfen: er wollte sie ja nur einander vorstellen. Hätten sie sich nur zufällig irgendwo getroffen, wären sie vielleicht längst Freunde; deshalb war es seine Pflicht – eine wirkliche Verpflichtung –, sie zusammenzubringen. Nichts anderes sollte es sein, ein harmloser Trick, der das zufällige Treffen in der Untergrundbahn, die Vor-

stellung durch einen gemeinsamen Bekannten auf der Straße ersetzen sollte. Er sollte sie nur einmal sehen, nur einmal mit ihr sprechen, und – dessen war der Vater sicher – er würde nicht gleichgültig bleiben. Und was Mirjam
5 konnte es einer Bürogehilfin, die nur mit großmäuligen Handelsvertretern und ungebildeten Reedereiangestellten zu tun hatte, schaden, wenn sie einmal einen vornehmen, gebildeten Mann kennenlernte? Vielleicht würde dann der Wunsch, die Universität zu besuchen, in ihr
10 geweckt werden; und wenn es auch nicht so kam – endlich war der Schuhmacher bei seinem wahren Wunsch angelangt –, so sollte sie doch einen gebildeten Mann heiraten und ein besseres Leben haben.

Max war mit der Beschreibung dessen, was an seinen
15 Schuhen geflickt werden mußte, fertig, und Feld zeichnete die beiden Sohlen, deren riesige Löcher er geflissentlich übersah, mit einem weißen Kreide-x, und die Gummiabsätze, die bis auf die Nägel durchgetreten waren, mit einem o; und er war so verwirrt dabei, daß er fürchtete, die beiden
20 Buchstaben verwechselt zu haben. Max fragte nach dem Preis, und der Schuster räusperte sich und bat den jungen Mann, Sobels hartnäckiges Hämmern übertönend, durch die Seitentür in den Flur zu treten. Max war überrascht, tat aber, wie der Schuhmacher ihn gebeten hatte, und Feld
25 kam hinter ihm her. Einen Augenblick lang schwiegen beide, denn Sobel hatte aufgehört zu hämmern, und sie schienen beide zu begreifen, daß keiner sprechen durfte, bis der Lärm wieder begann. Als das Hämmern dann wieder anfing, lauter als vorher, sagte der Schuster hastig zu Max,
30 warum er ihn hatte sprechen wollen.

„Schon seit Sie zur höheren Schule gehen“, sagte er im trüben Licht des Flurs, „habe ich beobachtet, wie Sie jeden Morgen mit der Untergrundbahn zur Schule fahren, und ich habe mir immer gesagt: das ist ein ganz besonderer
35 Junge, der so viel für seine Bildung tut.“

„Danke“, sagte Max mit nervöser Gespanntheit. Er war groß und von einer fast lächerlichen Magerkeit, seine Gesichtszüge, besonders die schnabelförmige Nase, waren scharf. Der viel zu weite, lange, vom Schnee durchnäßte

Überzieher ging ihm fast bis zu den Knöcheln, es sah beinahe aus, als habe er einen Teppich um die knochigen Schultern gehängt, und der durchweichte alte braune Hut war so abgetragen wie die Schuhe, die er eben gebracht hatte.

„Ich bin Geschäftsmann“, sagte der Schuhmacher schroff, um seine Verlegenheit zu verbergen, „deshalb will ich Ihnen ohne Umschweife erklären, warum ich Sie angesprochen habe. Ich habe eine Tochter – Mirjam – sie ist neunzehn –, ein sehr nettes Mädchen und so hübsch, daß jeder ihr auf der Straße nachsieht. Sie ist klug, immer hat sie ein Buch in der Hand, und ich dachte mir, daß ein junger Mann wie Sie, ein gebildeter junger Mann – ich dachte, daß es Sie vielleicht interessieren würde, ein solches Mädchen kennenzulernen.“ Er beendete seine Rede mit einem kleinen, verlegenen Lachen. Er hätte gern noch mehr gesagt, war aber klug genug, es nicht zu tun.

Max starrte wie ein Falke auf ihn hinunter. Einen verwirrenden Augenblick lang schwieg er, dann sagte er: „Neunzehn haben Sie gesagt?“

„Ja.“

„Darf ich wohl fragen, ob Sie ein Bild von ihr haben?“

„Einen Augenblick.“ Der Schuhmacher ging in den Laden und kam eifrig mit einem Amateurfoto zurück, das Max ins Licht hielt.

„Sie ist in Ordnung“, sagte er.

Feld wartete.

„Und ist sie vernünftig – nicht so oberflächlich?“

„Sie ist sehr vernünftig.“

Nach einem kurzen Schweigen sagte Max, daß er bereit sei, sich mit ihr zu treffen.

„Hier ist meine Telefonnummer“, sagte der Schuhmacher und reichte ihm hastig einen Zettel. „Rufen Sie sie an. Sie kommt um sechs von der Arbeit nach Hause.“

Max faltete den Zettel und steckte ihn in seine zerschlissene lederne Brieftasche.

„Und die Schuhe“, sagte er, „was sagten Sie doch, werden sie wahrscheinlich kosten?“

„Machen Sie sich wegen des Preises keine Sorgen.“

„Ich weiß gern, woran ich bin.“

„Einen Dollar – einen Dollar fünfzig. Einen Dollar fünfzig“, sagte der Schuhmacher.

Ein Gefühl der Scham überkam ihn, denn gewöhnlich berechnete er für eine solche Reparatur zwei fünfzig. Er hätte entweder den richtigen Preis nennen oder die Arbeit umsonst machen sollen.

Als er danach in den Laden trat, wurde er von einem gewaltigen Hämmern aufgeschreckt, und als er den Blick hob, sah er, daß Sobel mit aller Macht auf den nackten Leisten schlug. Der Leisten sprang, das Eisen traf den Boden und schlug mit einem dumpfen Ton gegen die Wand, aber bevor der wütende Schuster losschreien konnte, hatte der Geselle Hut und Mantel vom Haken gerissen und war in den Schnee hinausgestürmt.

Und Feld, der sich schon darauf gefreut hatte, sich seinen Träumen über Max und seine Tochter hinzugeben, sah sich statt dessen einer großen Sorge gegenüber. Ohne seinen launischen Gehilfen war er verloren. Seit Jahren schon hatte dieser das Geschäft allein geführt. Der Schuhmacher litt schon seit langem an einer Herzkrankheit, die ihm keine Anstrengung erlaubte. Als er vor fünf Jahren einen schweren Anfall erlitt, war ihm nur die Wahl geblieben, entweder das Geschäft versteigern zu lassen und danach von einer winzigen Rente zu leben oder sich irgendeinem gewissenlosen Angestellten auszuliefern, der ihn wahrscheinlich am Ende ruinieren würde. Als er vollkommen verzweifelt war, tauchte eines Abends dieser polnische Flüchtling Sobel an der Tür auf und bat um Arbeit. Der Mann war untersetzt, ärmlich gekleidet, sein einst blonder Kopf war kahl, sein Gesicht sehr ehrlich, seine sanften blauen Augen füllten sich über den traurigen Büchern, die er las, leicht mit Tränen. Er war jung und doch alt – niemand hätte ihn für dreißig gehalten. Er hatte damals gesagt, er verstehe nichts von Schuhmacherei, aber er sei geschickt und werde für ganz geringen Lohn arbeiten, wenn Feld ihm das Handwerk beibringen wolle. Feld dachte, von einem Landsmann werde er schließlich weniger zu fürchten haben als von einem völlig Fremden, er stellte ihn also ein, und nach sechs Wochen schon flickte der Flüchtling Schuhe so gut wie er selber, und bald schon führte er das Geschäft ganz fachmännisch und entlastete den Schuhmacher vollständig.

Feld konnte seinem Gehilfen in allem vertrauen und tat es auch; oft ging er nach ein oder zwei Stunden nach Hause, ließ alles Geld in der Kasse, denn er wußte, Sobel würde über jeden Cent wachen. Das Überraschende war, daß er so wenig Lohn verlangte. Er war sehr anspruchslos – für Geld hatte er kein Interesse, das schien er nur für Bücher zu haben, die er dann eins nach dem anderen zusammen mit seinen seltsamen, umfangreichen, handgeschriebenen Kommentaren an Mirjam weiterlieh. Diese Kommentare verfertigte er an den einsamen Abenden in seinem möblierten Zimmer. Es waren dicke Papierbündel, auf die der Schuhmacher achselzuckend einen Blick warf, während seine Tochter sie seit ihrem vierzehnten Jahr Seite für Seite gelesen hatte, als ob das Wort Gottes auf ihnen geschrieben stünde. Um Sobel vor Not zu schützen, mußte Feld dafür sorgen, daß er mehr Geld bekam, als er forderte. Doch sein Gewissen quälte ihn, weil er nicht darauf bestand, daß Sobel einen noch höheren Lohn annahm. Feld hatte ihm offen gesagt, daß er gut verdienen würde, wenn er sich irgendwo anders Arbeit suchte oder sich selbständig machte. Aber der Gehilfe erwiderte ein wenig gereizt, er habe kein Interesse an einer anderen Stelle. Immer wieder hatte Feld sich gefragt: Was hält ihn hier? Warum bleibt er? Schließlich hatte er sich gesagt, es seien wohl seine schrecklichen Erfahrungen als Flüchtling, er habe Angst vor der Welt.

Nach dem Vorfall mit dem zerbrochenen Leisten entschloß sich der Schuhmacher, verärgert über Sobels Benehmen, ihn eine Woche lang in seinem möblierten Zimmer schmoren zu lassen, obwohl es eine gefährliche Überanstrengung für ihn bedeutete und das Geschäft darunter litt. Schließlich ließ er sich durch die heftigen Vorwürfe von Frau und Tochter bewegen, Sobel aufzusuchen. Er hatte es vor kurzem schon einmal getan; damals hatte der Gehilfe einer eingebildeten Kränkung wegen – Feld hatte ihn nur gebeten, Mirjam nicht mehr so viele Bücher zu geben, weil ihre Augen gerötet und überanstrengt seien – den Laden überstürzt verlassen; aber dieser Vorfall war ohne Folgen geblieben. Sobel war, nachdem der Schuhmacher mit ihm gesprochen hatte, zurückgekommen und hatte seinen Platz auf der Bank wieder eingenommen. Aber diesmal kam es anders. Als Feld sich durch den Schnee zu Sobels Haus durchgekämpft hatte – er hatte daran gedacht, Mirjam zu schicken, aber dann konnte er sich doch nicht dazu entschließen –, als er nun Sobels Haus erreichte, sagte ihm die stämmige Wirtin an der Tür mit näselnder Stimme, daß Sobel nicht zu Hause sei. Feld wußte, daß es eine infame Lüge war, denn wohin hätte der Flüchtling gehen sollen? Und doch war er irgendwie nicht ganz sicher – vielleicht kam das von der Kälte und von seiner Müdigkeit –, und so entschloß er sich, nicht auf seinem Vorhaben zu bestehen. Statt dessen ging er nach Hause und stellte einen neuen Gehilfen ein.

So war die Sache also geregelt, wenn auch nicht zu seiner völligen Zufriedenheit, denn er mußte mehr Arbeit leisten als früher, konnte zum Beispiel morgens nicht länger liegenbleiben; er mußte aufstehen, um den Laden für den neuen Gehilfen zu öffnen, einen wortkargen, dunkelhaarigen Mann, der ein aufreizend kratzendes Geräusch machte, wenn er arbeitete, und dem er den Schlüssel nicht anvertrauen mochte, so wie er ihn Sobel anvertraut hatte. Außerdem wußte dieser Neue, der eine Reparatur recht gut ausführen konnte, nichts von der Qualität des Leders oder den Lederpreisen, so daß Feld die Einkäufe selber machen mußte, und jeden Abend mußte er das Geld in der Kasse zählen und den Laden schließen. Trotzdem war er nicht unzufrieden, er gab sich seinen Gedanken über Max und Mirjam hin. Der Student hatte sie angerufen, und sie hatten vereinbart, sich am kommenden Freitag zu treffen. Der Schuhmacher hätte selber den Samstag vorgezogen, es wäre dann, so meinte er, ein Ausgehen ersten Ranges gewesen, aber dann hörte er, daß Mirjam den Freitag vorgeschlagen hatte, und sagte nichts. Schließlich war der Wochentag nicht wichtig. Wichtig war, was nachher kam. Würden sie einander gefallen und den Wunsch haben,

Freunde zu werden? Er seufzte: es würde viel Zeit verstreichen, bis er das sicher wußte. Oft fühlte er sich versucht, mit Mirjam über den Jungen zu sprechen, sie zu fragen, ob er wohl ihr Typ sei – er hatte ihr nur gesagt, daß Max ihm gefalle und daß er ihm vorgeschlagen habe, sie anzurufen –, aber als er einmal versuchte, weiterzugehen, schrie sie ihn an – mit Recht –, woher sollte sie es wissen?

Schließlich kam der Freitag heran. Feld fühlte sich nicht wohl und blieb im Bett, und Mrs. Feld zog es vor, bei ihm im Schlafzimmer zu bleiben, als Max klingelte. Mirjam empfing den Jungen, und ihre Eltern konnten ihre Stimmen hören; die seine klang kehlig. Bevor sie gingen, brachte Mirjam Max an die Schlafzimmertür, und einen Augenblick lang stand er da, eine hohe, etwas gebückte Gestalt in einem schlotternden Anzug aus schwerem Stoff. Ohne Verlegenheit, wie es schien, begrüßte er den Schuhmacher und seine Frau, und das war sicherlich ein gutes Zeichen. Und Mirjam sah, obwohl sie den ganzen Tag gearbeitet hatte, hübsch und frisch aus. Sie war ein großes, kräftiges Mädchen mit wohlgeformtem Körper, sie hatte ein hübsches, offenes Gesicht und weiches Haar. Sie bildeten, dachte Feld, ein ausgezeichnetes Paar.

Mirjam kam nach halb zwölf zurück. Ihre Mutter schlief schon, aber der Schuhmacher stand auf, tastete nach seinem Bademantel und ging in die Küche, wo Mirjam, zu seiner Überraschung, am Tisch saß und las.

„Wo seid ihr denn hingegangen?“ fragte Feld freundlich.

„Spazieren“, sagte Mirjam, ohne aufzusehen.

Feld räusperte sich. „Ich habe ihm den Rat gegeben, nicht zuviel Geld auszugeben.“

„Es war mir auch ganz recht so.“

Der Schuhmacher goß Tee auf und setzte sich mit einer Tasse Tee und einer dicken Scheibe Zitrone an den Tisch.

„Na“, sagte er mit einem Seufzer, nachdem er einen Schluck getrunken hatte, „hat es dir Spaß gemacht?“

„Es war ganz nett.“

Er schwieg. Sie mußte seine Enttäuschung gespürt haben, denn sie fügte hinzu: „Nach dem ersten Mal kann man wirklich nicht viel sagen.“

„Wirst du ihn noch einmal treffen?"

Sie wandte eine Seite im Buch und sagte, daß Max sie um ein Wiedersehen gebeten habe.

„Für wann?"

5 „Samstag."

„Und was hast du gesagt?"

„Was ich gesagt habe?" Sie zögerte einen Augenblick. „Ich habe ja gesagt."

Später fragte sie nach Sobel, und Feld sagte, ohne recht 10 zu wissen warum, daß der Gehilfe eine andere Stelle angenommen habe. Mirjam sagte nichts mehr und begann wieder zu lesen. Des Schuhmachers Gewissen regte sich nicht, er war froh wegen der Verabredung am Samstag.

Während der Woche gelang es ihm durch gelegentliche 15 geschickte Fragen, von Mirjam Näheres über Max zu erfahren. Zu seiner Überraschung hörte er, daß der Junge nicht studierte, um Arzt oder Rechtsanwalt zu werden, sondern daß er an einem Lehrgang teilnahm, der mit dem Diplom als Buchprüfer abschloß. Feld war ein wenig enttäuscht, 20 denn Buchprüfer waren für ihn Buchhalter, und er hätte einen „gehobeneren Beruf" vorgezogen. Aber bald schon hatte er Erkundigungen eingezogen und festgestellt, daß zugelassene Buchprüfer hochangesehene Leute waren, und als der Samstag kam, war er sehr befriedigt. Aber am 25 Samstag gab es viel zu tun, er war meistens im Laden und sah Max daher nicht, als dieser Mirjam abholte. Seine Frau erzählte ihm, sie habe, als die jungen Leute sich trafen, nichts Besonderes bemerkt. Max hatte geklingelt, und Mirjam hatte ihren Mantel geholt und war mit ihm wegge- 30 gangen – das war alles. Feld fragte nicht weiter, denn seine Frau war keine besonders gute Beobachterin. Aber er blieb auf und wartete auf Mirjam, er blickte kaum einmal auf die Zeitung in seinem Schoß, so versunken war er in Zukunftspläne. Dann wurde er wach, sie stand im Zimmer und nahm 35 mit einer müden Bewegung den Hut ab. Als er ihr guten Abend sagte, fühlte er plötzlich eine unerklärliche Furcht, über den Verlauf des Abends Fragen zu stellen. Aber da sie freiwillig nichts sagte, war er schließlich gezwungen zu fragen, wie sie sich amüsiert hätte. Mirjam begann mit irgendeinem nichtssagenden Satz, aber dann überlegte sie es sich anders und sagte nach einer kleinen Pause: „Es war langweilig."

Als Feld sich von seiner Bestürzung und Enttäuschung genügend erholt hatte, um nach dem Grund zu fragen, sagte sie, ohne zu zögern: „Weil er nur ein Materialist ist."

„Was heißt das?"

„Er hat keine Seele. Er ist nur an Sachen interessiert."

Er dachte lange über diese Feststellung nach, aber dann fragte er: „Wirst du ihn wiedersehen?"

„Er hat mich nicht darum gebeten."

„Und wenn er dich nun bäte?"

„Ich will ihn nicht mehr treffen."

Er machte keine Einwände, aber als die Tage verstrichen, wuchs seine Hoffnung, daß sie ihre Meinung ändern werde. Er wünschte, der Junge würde anrufen, er war sicher, daß mehr an ihm dran war, als Mirjams unerfahrener Blick entdecken konnte. Aber Max rief nicht an. Er ging jetzt sogar einen anderen Weg zur Schule, kam nicht mehr an seinem Laden vorbei, und Feld fühlte sich tief verletzt.

Dann kam Max eines Nachmittags und fragte nach seinen Schuhen. Der Schuhmacher nahm sie von dem Wandbrett herunter, wo er sie, gesondert von den anderen Schuhen, aufbewahrt hatte. Er hatte die Arbeit selber gemacht, und die Sohlen und Absätze waren wohlgeformt und fest. Die Schuhe waren auf Hochglanz poliert und sahen irgendwie besser aus als neu. Max' Adamsapfel stieg einmal in die Höhe, als er sie sah, und in seinen Augen glommen kleine Lichter auf.

„Wieviel macht's?" fragte er, ohne den Schuhmacher anzusehen.

„Wie ich Ihnen schon sagte", antwortete Feld traurig, „einen Dollar fünfzig Cents."

Max reichte ihm zwei zerknitterte Scheine und bekam einen frisch gemünzten Silberdollar heraus.

Er ging. Von Mirjam war nicht die Rede gewesen. An diesem Abend entdeckte der Schuhmacher, daß der neue

Gehilfe ihn die ganze Zeit betrogen hatte, und er bekam einen Herzanfall.

Obgleich der Anfall nur leicht gewesen war, blieb er drei Wochen im Bett liegen. Mirjam sprach davon, Sobel zu 5 holen, aber trotz seiner Krankheit versetzte dieser Vorschlag Feld in Wut. Und doch wußte er, daß es keinen anderen Ausweg gab; der erste anstrengende Tag im Laden überzeugte ihn noch mehr, und an diesem Abend schleppte er sich nach dem Essen selbst zu Sobels Haus.

10 Mühsam zog er sich die Treppe hinauf, obwohl er wußte, wie sehr ihm das schadete; oben klopfte er an die Tür. Sobel öffnete, und der Schuhmacher trat ein. Das Zimmer war klein und ärmlich, sein einziges Fenster lag zur Straße hin; es enthielt eine schmale Schlafstelle, einen niedrigen 15 Tisch und mehrere Stapel von Büchern, die planlos auf dem Fußboden gegen die Wand gestapelt waren. Feld dachte wieder daran, was für ein seltsamer Mensch Sobel war, ungebildet, und doch las er soviel. Er hatte ihn einmal gefragt: Sobel, warum liest du soviel? Und der Gehilfe 20 hatte darauf keine Antwort gewußt. Bist du irgendwann auf einer höheren Schule gewesen? hatte er gefragt, aber Sobel hatte den Kopf geschüttelt. Er sagte, er läse, um zu wissen. Aber um was zu wissen, hatte der Schuhmacher gefragt, und warum wollte er wissen? Sobel hatte es nie 25 erklärt, und das bewies, daß er soviel las, weil er ein komischer Kauz war.

Feld setzte sich hin, um zu Atem zu kommen. Der Gehilfe saß auf dem Bett, den Rücken gegen die Wand gelehnt. Sein Hemd und seine Hose waren sauber, und die 30 kurzen Finger waren hier, fern vom Schustertisch, seltsam bleich. Sein Gesicht war schmal und blaß, als sei er seit dem Tage, da er aus dem Laden gestürzt war, in diesem Raum eingeschlossen gewesen.

„Wann fängst du wieder an zu arbeiten?"

35 Zu seiner Überraschung schrie Sobel: „Nie!"

Er sprang auf, ging mit langen Schritten zum Fenster und blickte auf die elende Straße hinaus. „Warum sollte ich auch zurückkommen?" schrie er.

„Ich werde deinen Lohn erhöhen."

„Was kümmert mich mein Lohn!"

Der Schuhmacher wußte, daß er die Wahrheit sprach. Was sollte er noch sagen?

„Was willst du von mir, Sobel?"

„Nichts."

„Ich habe dich immer wie meinen Sohn behandelt."

Sobel schüttelte heftig den Kopf. „Warum schaust du dann nach fremden Männern auf der Straße aus, die mit Mirjam ausgehen sollen? Warum denkst du nicht an mich?"

Die Hände und Füße des Schuhmachers wurden eiskalt. Seine Stimme war so heiser, daß er nicht sprechen konnte. Schließlich räusperte er sich und krächzte: „Was soll denn meine Tochter mit einem Schuster, der fünfunddreißig Jahre alt ist und für mich arbeitet?"

„Warum, glaubst du, habe ich so lange für dich gearbeitet?" schrie Sobel. „Für einen jämmerlichen Lohn habe ich fünf Jahre meines Lebens geopfert, damit du zu essen und zu trinken hattest und ein Dach über dem Kopf."

„Warum also?" schrie der Schuhmacher.

„Für Mirjam", platzte Sobel heraus, „für sie."

Nach einiger Zeit sagte der Schuhmacher mühsam: „Ich zahle Löhne in bar aus, Sobel." Dann verfiel er wieder in Schweigen. Obwohl er vor Erregung zitterte, war sein Kopf doch kühl und klar, und er mußte sich eingestehen, daß er die ganze Zeit über geahnt hatte, wie Sobel dachte. Es war ihm nicht klar ins Bewußtsein gedrungen, aber er hatte es gespürt und hatte Angst.

„Weiß es Mirjam?" flüsterte er heiser.

„Ja."

„Hast du es ihr gesagt?"

„Nein."

„Wie kann sie es dann wissen?"

„Wie sie es wissen kann?" sagte Sobel. „Weil sie es eben weiß. Sie weiß, wer ich bin und was in meinem Herzen ist."

Feld sah plötzlich klar. In einer schlauen Weise hatte Sobel mit seinen Büchern und Kommentaren Mirjam zu verstehen gegeben, daß er sie liebe. Der Schuhmacher fühlte wegen dieses Verrates eine schreckliche Wut gegen ihn.

„Du bist verrückt, Sobel“, sagte er bitter, „sie wird niemals einen so alten und häßlichen Mann heiraten.“

Sobel wurde rot vor Wut. Er verfluchte den Schuhmacher, aber dann füllten sich seine Augen mit Tränen, und obgleich er zitternd versuchte, sie zurückzuhalten, brach er in ein Schluchzen aus. Mit dem Rücken zu Feld stand er am Fenster, die Fäuste geballt, und seine Schultern zuckten von unterdrücktem Schluchzen.

Während er ihn beobachtete, schwand der Zorn des Schuhmachers. Er mußte seine Zähne zusammenbeißen, so leid tat ihm der Mann, und seine Augen wurden feucht. Wie seltsam und traurig, daß ein Flüchtling, ein erwachsener Mann, den das Elend kahl und alt gemacht hatte, der um Haaresbreite Hitlers Gaskammern entkommen war, sich hier in Amerika in ein Mädchen verliebte, das nur halb so alt war wie er. Tag für Tag hatte er fünf Jahre lang an der Werkbank gesessen, geschnitten und gehämmert und darauf gewartet, daß aus dem Mädchen eine Frau würde. Er war unfähig gewesen, sein Herz mit Worten zu erleichtern, er kannte keinen anderen Protest als die Verzweiflung.

„Ich wollte nicht sagen häßlich“, sagte Feld halblaut.

Dann wurde ihm klar, daß das, was er häßlich genannt hatte, nicht Sobel war, sondern das Leben, das Mirjam führen würde, wenn sie ihn heiratete. Eine seltsame, zehrende Trauer um seine Tochter überfiel ihn, so als sei sie schon Sobels Braut, nun nach allem doch die Frau eines Schuhmachers; daß sie nicht mehr vom Leben haben würde als das, was ihre Mutter gehabt hatte. Alles, was er für sie erträumt hatte – das, um dessentwillen er geschuftet, sein Herz mit Sorge und Arbeit ruiniert hatte –, all diese Träume von einem besseren Leben waren tot.

Es war still im Zimmer. Sobel stand am Fenster und las, und es war seltsam: Wenn er las, sah er jung aus.

„Sie ist erst neunzehn“, sagte Feld mit gebrochener Stimme. „Zu jung zum Heiraten. Warte noch zwei Jahre, bis sie einundzwanzig ist, dann kannst du mit ihr sprechen.“

Sobel gab keine Antwort. Feld stand auf und ging. Langsam stieg er die Treppe hinunter, aber sobald er draußen war, wurde sein Schritt trotz der eisigen Nacht und des frisch fallenden Schnees kräftiger.
Als am nächsten Morgen der Schuhmacher schweren Herzens den Laden aufmachen wollte, sah er, daß er gar nicht hätte zu kommen brauchen, sein Gehilfe saß schon vor dem Leisten und klopfte das Leder.

9. Katherine Mansfield: Den Schleier nehmen

Es schien schlechterdings unmöglich, daß an einem so schönen Morgen irgend jemand unglücklich war! Und niemand war es, meinte Edna – niemand außer ihr selbst. In den Häusern standen alle Fenster weit offen. Klavierspiel drang aus den Zimmern; kleine Hände – Tonleitern übend – haschten einander und liefen voreinander davon. In den sonnigen Gärten mit ihren bunten Frühlingsblumen ließen die Bäume ihr junges Grün flattern. Gassenjungen pfiffen; ein kleiner Hund bellte; die Fußgänger schritten so leichtfüßig und beschwingt aus, als wollten sie gleich zu einem Dauerlauf ansetzen. Und jetzt sah sie tatsächlich in einiger Entfernung einen Sonnenschirm, einen pfirsichfarbenen, den ersten des Jahres!
Vielleicht sah auch Edna nicht ganz so unglücklich aus, wie sie sich fühlte. Es ist nicht leicht, mit achtzehn tragisch auszusehen, wenn man ungewöhnlich hübsch ist und wenn die Wangen und Lippen und die strahlenden Augen eine blühende Gesundheit verraten. Vor allem, wenn man ein blaues Kleid aus Frankreich und einen neuen Frühlingshut trägt, der mit Kornblumen garniert ist. Allerdings trug sie unter dem Arm ein in häßliches schwarzes Leder gebundenes Buch; vielleicht setzte das Buch einen düsteren Akzent, aber das war ein Zufall: Es war der übliche Einband der Leihbibliothek. Edna hatte nämlich den Gang zur Bibliothek zum Vorwand genommen, um aus dem Haus zu kommen und nachdenken zu können, um begreifen zu

können, was geschehen war, und um einen Entschluß zu fassen, was jetzt zu machen sei.

Etwas Furchtbares war geschehen. Gestern abend im Theater, als sie neben Jimmy im ersten Rang saß, und ohne die kleinste Warnung – sie hatte gerade eine Schokolademandel in den Mund gesteckt und Jimmy die Schachtel zurückgereicht –, ganz unvorhergesehen also hatte sie sich plötzlich in einen Schauspieler verliebt! Und – *wie* – verliebt!

Das Gefühl war mit nichts zu vergleichen gewesen, was sie sich je vorgestellt hatte. Es war durchaus nicht etwa angenehm! Auch aufregend war es kaum ... es sei denn, man wollte das gräßliche Gemisch aus hoffnungslosem Elend und Qual und Verzweiflung und Jammer als aufregend bezeichnen. Hinzu kam die Gewißheit, daß, wenn er ihr hinterher auf dem Bürgersteig begegnete, während Jimmy ein Taxi holen ging, sie diesem Schauspieler auf ein bloßes Zunicken, auf die kleinste Geste hin bis ans Ende der Welt folgen würde, ohne auch nur einen Gedanken an Jimmy oder ihre Eltern oder ihr glückliches Zuhause und ihre unzähligen Bekannten zu vergeuden ...

Das Stück hatte ziemlich heiter begonnen. Das war während des Schokolademandelstadiums gewesen. Dann war der Held erblindet. Was für ein gräßlicher Moment! Edna hatte so weinen müssen, daß sie sich zu dem ihren auch noch Jimmys zusammengefaltetes, sehr schön weiches Taschentuch borgen mußte. Nicht, daß ihr Weinen aufgefallen wäre. Die Leute weinten reihenweise. Sogar die Männer putzten sich mit lautem Trompetenton die Nase und bemühten sich, ins Programm statt auf die Bühne zu schauen. Jimmy saß zum Glück mit trockenen Augen da – denn was hätte sie ohne sein Taschentuch tun sollen? –, drückte ihre freie Hand und flüsterte: „Nimm's nicht so schwer, Liebes!“ Da hatte sie ihm zuliebe noch eine letzte Schokolademandel genommen und ihm die Schachtel gegeben. Dann war die grauenhafte Szene gekommen, wo der Held allein auf der Bühne stand, ganz allein in einem öden Zimmer im Dämmerlicht, während draußen eine Musikkapelle spielte und Hochrufe von der Straße heraufklangen.

Er hatte versucht – ach, wie kläglich, wie jämmerlich! –, sich zum Fenster vorzutasten. Endlich war es ihm gelungen. Dort hatte er dann gestanden und den Vorhang aufgehalten, während ein Lichtstrahl, ein einziger Lichtstrahl, ihm voll in das aufwärts gewandte, blinde Gesicht fiel und die Musik in der Ferne verhallte ...

Es war – wirklich, es war völlig – oh, das aller-, es war einfach – ja, es war tatsächlich so, daß Edna von dem Augenblick an wußte, ihr Leben könne nie wieder so sein, wie es vorher war. Sie entzog Jimmy ihre Hand, lehnte sich zurück und machte die Schachtel mit den Schokolademandeln ein für allemal zu. Das war endlich Liebe!

Edna und Jimmy waren verlobt.

Seit anderthalb Jahren trug sie ihr Haar aufgesteckt; seit einem Jahr waren sie offiziell verlobt. Doch daß sie einander mal heiraten würden, hatten sie bereits in jenen fernen Jahren gewußt, als sie mit ihren Kindermädchen im Botanischen Garten herumspaziert waren und mit einem Löffelbiskuit und einem Malzbonbon als Vesper auf dem Rasen gesessen hatten. Es war eine so allgemein anerkannte Tatsache gewesen, daß Edna die ganze Zeit, die sie im Schullandheim war, einen sehr gut nachgemachten Verlobungsring (aus einem Knallbonbon) getragen hatte. Und bis jetzt hatten sie sehr aneinander gehangen.

Doch nun war es vorbei. Es war so restlos aus und vorbei, daß Edna sich kaum erklären konnte, wieso Jimmy es nicht ebenfalls einsah. Sie lächelte weise und traurig, als sie in den Park des Sacré-Cœur-Klosters einbog und den Pfad hinanstieg, der zur Hill Street hindurchführte. Wieviel besser, es jetzt zu erfahren, als erst nachdem sie verheiratet waren! Jetzt war es noch möglich, daß Jimmy darüber hinwegkam. Nein, es nützte nichts, sich etwas vorzumachen: er würde *nicht* darüber hinwegkommen! Sein Leben war zerstört, war ruiniert; das war unvermeidlich. Aber er war so jung ... Die Zeit, sagten die Leute immer, die Zeit könne so manches heilen. In vierzig Jahren, wenn er ein alter Mann war, mochte es ihm vielleicht gelingen, etwas ruhiger an sie zu denken – vielleicht! Aber sie? Was barg die Zukunft für sie?

Edna hatte das obere Ende des Weges erreicht. Dort setzte sie sich unter einem Baum mit jungem Grün und kleinen Büscheln weißer Blüten auf eine grüne Bank und blickte über die Blumenbeete des Klostergartens. Auf einem Beet ganz nahebei wuchsen in der einen Ecke zierliche Levkojen hinter einer Einfassung aus blauen, muschelförmigen Stiefmütterchen und einer Gruppe sahneweißer Freesien, deren feine, hellgrüne Spieße kreuz und quer über den Kelchen aufragten. Hoch oben in der Luft tummelten sich die Klostertauben, und sie konnte die Stimme der Schwester Agnes hören, die eine Singstunde gab. *Ah-men* klang die Altstimme der Nonne, und *Ah-men* kam das Echo ...

Wenn sie Jimmy nicht heiratete, würde sie natürlich überhaupt niemanden heiraten. Der Mann, den sie liebte, der berühmte Schauspieler – Edna war viel zu vernünftig, um nicht einzusehen, daß es nie sein könne. Und seltsamerweise wollte sie es auch gar nicht. Dafür war ihre Liebe viel zu innig. Sie mußte sie schweigend ertragen, die Qual der Liebe. So war es eben bei dieser Art Liebe, nahm sie an ...

„Aber Edna!“ rief Jimmy. „Wirst du nie andern Sinnes werden? Darf ich nicht mehr hoffen?“

Oh, was für ein Jammer, es sagen zu müssen, aber es mußte gesagt werden: „Nein, Jimmy, *nie* werde ich andern Sinnes sein!“

Edna ließ den Kopf sinken; eine kleine Blüte fiel ihr in den Schoß, und Schwester Agnes sang plötzlich *oh – nie,* und das Echo klang *oh – nie!*

In diesem Augenblick wurde ihr die Zukunft enthüllt. Edna sah es alles. Sie war verblüfft; zuerst verschlug es ihr den Atem. Aber schließlich, was konnte natürlicher sein? Sie würde ins Kloster eintreten ... Ihr Vater und ihre Mutter tun alles, was sie können, um sie davon abzubringen – vergebens. Und Jimmy – an dessen Gemütszustand mag sie kaum denken! Warum können sie es nicht verstehen? Warum müssen sie ihr Leid noch größer machen? Die Welt ist grausam, schrecklich grausam! Nach einer letzten Szene, wenn sie ihren Schmuck und so weiter an ihre besten Freundinnen verschenkt hat – sie so ruhig, die andern so verzweifelt –, geht sie ins Kloster. Nein, einen Augenblick! Der Abend, an dem sie ins Kloster eintritt, ist der letzte Abend des Schauspielers in Port Willin. Ein unbekannter Bote überbringt ihm einen Karton. Er ist voll weißer Rosen. Aber es ist keine Karte dabei, kein Name. Wirklich nichts? Doch! Unter den Rosen, in ein weißes Taschentuch eingewickelt, die letzte Photographie von Edna, unterschrieben mit den Worten: „Die Welt vergessend, von der Welt vergessen!"

Edna saß sehr still unter den Bäumen; das schwarze Bibliotheksbuch umklammert sie, als wäre es ihr Meßbuch. Sie nimmt den Namen Schwester Angela an. Ritsch-ratsch ... ihr herrliches Haar fällt der Schere zum Opfer. Ob sie Jimmy eine Locke schicken darf? Irgendwie wird es bewerkstelligt. Und in einem blauen Gewand mit einem weißen Stirnband geht Schwester Angela vom Kloster zur Kapelle und von der Kapelle zum Kloster, etwas Überirdisches in ihrem Blick, in den tieftraurigen Augen und in dem sanften Lächeln, mit dem sie die kleinen Kinder begrüßt, die auf sie zugerannt kommen. Eine Heilige! Sie hört, wie es hinter ihr drein geflüstert wird, wenn sie durch die frostkalten, nach Wachs riechenden Gänge schreitet. Eine Heilige! Und den Besuchern in der Kapelle erzählt man von der Nonne, deren Stimme alle andern Stimmen übertönt, erzählt von ihrer Jugend, ihrer Schönheit, ihrer tieftragischen Liebe. „Hier in der Stadt siecht ein Mann dahin, dessen Leben zerstört ist ..."

Eine große Biene, ein Bürschlein mit goldenem Pelz, kroch in eine Freesie, und die zarte Blüte neigte sich, schwankte, erbebte; nachdem die Biene weggeflogen war, nickte sie noch immer, als lache sie! Glückliche, sorglose Blüte!

Schwester Angela schaute sie an und dachte: „Jetzt ist es Winter!" Eines Nachts, als sie in ihrer eiskalten Zelle liegt, hört sie einen Schrei. Ein verirrtes Tier ist draußen im Garten, ein Kätzchen oder ein Lamm – irgendein junges Tier könnte dort sein. Schon erhebt sich die Nonne, die schlaflos dagelegen hat. Ganz in Weiß, vor Kälte zitternd, aber ohne Furcht, geht sie und bringt es herein. Doch am

Morgen, als die Glocke zur Frühmette ruft, findet man sie, wie sie sich in hohem Fieber wälzt, im Delirium ... und sich nicht mehr erholt. In drei Tagen ist alles vorbei. In der Kapelle ist die Totenmesse gelesen worden, und sie liegt in der Ecke des Friedhofs begraben, die den Nonnen vorbehalten ist, wo die schlichten kleinen Holzkreuze stehen. Ruhe in Frieden, Schwester Angela!

Dann ist es Abend. Zwei alte Leute, die einander gegenseitig stützen, nähern sich langsam dem Grab, knien nieder und schluchzen: „Unsere Tochter! Unsere einzige Tochter!" Nun erscheint noch jemand. Er ist ganz in Schwarz; er geht sehr langsam. Als er vor dem Grab steht und seinen schwarzen Hut abnimmt, sieht Edna zu ihrem Entsetzen, daß sein Haar schneeweiß ist. Jimmy! Zu spät! Zu spät! Die Tränen strömen ihm übers Gesicht; er weint *jetzt*! Zu spät! Zu spät! Der Wind schüttelt die kahlen Bäume auf dem Friedhof. Der Mann stößt einen furchtbaren, einen bitteren Schrei aus. Ednas schwarzes Buch fällt ihr aus der Hand und schlägt dumpf auf den Weg. Sie springt auf, ihr Herz pocht. Mein Liebster! Nein, es ist nicht zu spät! Es ist alles ein Irrtum gewesen, ein furchtbarer Traum! Ach, die weißen Haare! Wie hatte sie so etwas tun können? Sie hat es nicht getan! O Himmel, was für ein Glück! Sie ist frei, ist jung, und niemand weiß um ihr Geheimnis. Alles ist noch möglich für sie und ihren Jimmy. Das Haus, das sie planten, kann noch gebaut werden, der ernste kleine Junge, der, die Hände auf dem Rücken, ihnen zuschaut, wie sie Rosenbäumchen pflanzen, kann noch geboren werden. Sein Babyschwesterchen ... aber als Edna beim Babyschwesterchen angelangt ist, breitet sie die Arme aus, als käme das kleine Schätzchen durch die Luft auf sie zugeflogen – und während sie auf den Garten blickt, auf die weißen Blütenrispen am Baum, auf die reizenden Tauben, die blau vor dem blauen Himmel kreisen, und auf das Kloster mit seinen schmalen Fenstern, begreift sie, daß sie jetzt endlich und zum erstenmal in ihrem Leben – denn nie hatte sie sich ein derartiges Gefühl vorstellen können –, ja endlich weiß, was es heißt, zu lieben, wirklich zu lieben!

10. Boris Pilnjak: Wind über Menschen

I

Eine lange Zeit ist es, zehn Jahre des menschlichen Lebens – und blickt man zurück auf dieses Jahrzehnt, dann scheint alles erst gestern gewesen zu sein: An alles erinnert man sich genau, sogar an die Winzigkeiten, an ein Fältchen unter den Augen, an den Geruch im Zimmer. Aber in jedem Jahrzehnt gehen von dieser Erde, aus diesem Leben ein Fünftel aller Menschen fort. Viele, viele Millionen Menschen kehren in die Erde zurück, um zu verwesen, um ein Fraß der Würmer zu werden; während desselben Jahrzehnts treten Millionen Menschen neu ins Leben, die geboren werden, wachsen, leben, die in neue Länder ziehen, sich vermehren, sich ausbreiten wie das Hochwasser der Flüsse im Frühling, die verschwenderisch mit den Jahren umgehen, sich ausruhen in den heißen Sommertagen und verbrennen in der winterlichen Abendröte. Und jede Epoche des menschlichen Seins, jedes Land, jede Stadt, jedes Haus, jedes Zimmer hat seinen eigenen Geruch, genauso wie jeder Mensch, jede Familie und jedes Geschlecht. Manchmal kreuzen sich die Jahrzehnte – sehr oft sogar –, und über allen Epochen, über allen Ereignissen der Städte und Länder sind ihm, diesem Menschen, die Fältchen unter den Augen, der Geruch des Zimmers wesentlicher und bedeutender als die Geschehnisse der Zeit. Über jedes Land wehen eigene Winde. Diesem Menschen Iwan Iwanowitsch Iwanow blieb das Leben in Erinnerung durch eine Stadt mit Gehwegen aus Holz, mit hölzernen Zäunen entlang den Straßen, durch eine Pforte, die in den Hof führte, durch den schweren Geruch im Flur des Hauses mit den niedrigen Räumen, die in den von Unkraut überwucherten Garten hinausgingen. Und über sein Leben wehte jener Wind, der nach menschlicher Behausung roch. In seinem Zimmer stand ein durchgesessener Lederdiwan, hinter dem sich Generationen hindurch der Staub sammelte. Auf dem Tisch in seinem Zimmer lagen fast immer dieselben Bücher, und niemals kam ein neuer Stoffbezug darauf. Der

Staub färbte das Tuch mit der Zeit von Grün zu Gelb, aber es war unmöglich, den Staub vom Tisch wegzublasen. Und hinter den niedrigen Fenstern wucherte im Obstgarten Unkraut – Brennesseln, Kletten und Bilsenkraut.

Über seinem Leben lag ein Hauch, der nach menschlicher Behausung roch, und dieser Hauch blieb seinem Zimmer verhaftet. Und über alle Jahrzehnte blieb ihm für immer ein herbstlicher, modriger Abend in Erinnerung, der zu sehr, fast bis zum Ersticken, den Geruch des menschlichen Körpers angenommen hatte: Es war der Abend, an dem er seine Frau aus dem Hause gejagt hatte. Bis dahin gab es die farbenreiche Morgenröte, die stürmischen Freuden im Frühjahr, die dem Hochwasser glichen, das die Felder überschwemmt, gab es die vielen Nächte mit den Worten: „Ich liebe dich für immer, ich liebe dich für immer!“ Es war die Zeit der hellerleuchteten Welt, der Sonne, des Friedens und der Seen ihrer Augen, in denen man die Welt und die Sonne ertränken konnte, denn sie allein waren es, die die Welt und die Sonne ausfüllten. Damals, als es nur die menschliche Freude gab, kam ein Kind zur Welt, ein neuer Iwan, und in der Dämmerung waren die Augen der Mutter herrlich schön, mit allem Wunderbaren der Mutterschaft dieser Welt. In dieser Dämmerstunde, als das Kind, der kleine Iwan, bereits schlief, kam er dann zu ihr, um ihre blasse Hand zu küssen. Alles das war einmal. Und dann kam jener modrige Abend, ein Abend, an dem der Mensch einsam ist und es ihm unheimlich wird auf dieser Erde durch die erdrückende Last des Lebens.

Es ging schon auf Mitternacht zu. Hinter den Fenstern ging der herbstliche Regen nieder, und es herrschte draußen eine Finsternis, die den Augen weh tat. Auf dem Tisch brannte die Kerze und tropfte auf den Stoff, der niemals gewechselt wurde. Ihre Lider waren geschwollen, und unter den Augen hatte sie Fältchen. Er stand am Tisch. Sie stand an der Tür.

„Iwan, begreife, das ist alles Lüge, verzeih. Daran war doch nur die Versuchung schuld. Wir beide waren doch wirklich glücklich und haben einander sehr geliebt.“

Iwan Iwanowitsch beugte sich zur Kerze und las langsam, Silbe um Silbe, zum hundertsten Mal von neuem, den von ihr beschriebenen Fetzen Papier: „Nikolaj, ich weiß, das ist die Versuchung, aber ich kann ohne Dich nicht sein. Mein Mann wird heute nicht zu Hause sein, und die Pforte lasse ich unverriegelt. Komm gegen elf, wenn alle schlafen ...“

Iwan Iwanowitsch schob die Hand mit dem Stück Papier in seine Tasche, richtete sich auf, wich vom Kerzenlicht zurück und sagte langsam, dabei jede Silbe betonend: „Da gibt es nichts zu verzeihen. Dieses Wort paßt nicht hierher. Mich interessieren keine Versuchungen. Außerdem hat das mit Versuchung nichts zu tun. Du bist einfach nackt mit einem nackten Mann in meinem Bett gelegen. Hinaus mit dir!“

„Iwan! Bedenke, wir haben doch ein Kind, wir haben einen Sohn!“ Iwan Iwanowitsch erwiderte zynisch: „Genau deshalb, weil wir ein Kind haben, will ich nicht, daß du dich noch mit erwachsenen ‚Kindern‘ abgibst. Hinaus mit dir!“

Die Fältchen unter ihren Augen verschwanden, und es blieben allein die Augen, voll von Haß und Verachtung.

Außer sich, auch jede Silbe betonend, erwiderte sie ihm stimmlos: „Du Schurke! Ja, ich liebe ihn, ich liebe ihn – und nicht dich!“

Iwan Iwanowitsch war so verblüfft, daß er nicht antworten konnte. Sie drehte sich scharf um und warf die Tür hinter sich zu. Er ging ihr nicht nach. Hinter der Tür war Stille. Er stand unbeweglich, hinter der Tür war immer noch kein Geräusch zu hören. So verging wohl eine Viertelstunde. Dann stürzte er zur Tür.

Hinter der Tür war die Leere, das Kinderbett war leer, eine Kerze brannte auf dem Stuhl neben dem Bettchen. Die Tür war offen. Er lief in den Flur, er atmete den schweren Geruch des Hauses. Als er die Tür zum Hof offen sah, schrie er hilflos, sich selbst erniedrigend und bedauernd: „Alenuschka!“ Niemand erwiderte seinen Ruf. Die Straße war in Dunkelheit und Regen versunken. Am Morgen kam eine Frau mit einem Zettel: „Iwan Iwanowitsch, lesen Sie bitte!“ Die Überbringerin, so stand auf dem

Papier, solle ihre und des Sohnes Sachen in Empfang nehmen. Er sammelte alle Habseligkeiten den ganzen Tag über zusammen, und die Frau half ihm dabei. Zwischendurch ging sie zweimal zum Essen und Teetrinken fort. Er konnte nicht ans Essen denken und setzte sich hin, um einen langen Brief zu schreiben. Gegen Abend führte die Frau mit einem Handkarren alles weg. Den Brief trug sie im Busen. Iwan Iwanowitsch half ihr, den Wagen auf die Straße zu schieben. Dort drückte er der Fremden die Hand und bat sie eindringlich, die Antwort auf seinen Brief zurückzubringen. Der Frau war der Händedruck unangenehm, sie zog ihre Hand zurück und sagte einsilbig: „Mir ist's gleich. Wenn es mir aufgetragen wird, so erledige ich es. Ich trabe auf eigenen Füßen, und da kostet's nicht viel." Eine Antwort kam weder heute noch morgen, noch übermorgen. Aber am dritten Tag ging das Gerede, sie sei aus der Stadt fortgefahren, irgendwohin mit der Eisenbahn, wahrscheinlich für immer, ihre Habseligkeiten habe sie mitgenommen. Und tatsächlich war sie für immer gegangen. Iwan Iwanowitsch sah sie niemals mehr wieder.

Nach einem Jahr erfuhr er, daß sie irgendwo in Moskau lebe, nach drei Jahren, daß sie ein Kind zur Welt gebracht habe, einen Jungen namens Nikolaj. Der Junge trug seinen Namen, den Namen Iwan Iwanowitsch Iwanows – Nikolaj Iwanow.

Hinter dem durchgesessenen Lederdiwan häufte sich weiterhin der Staub in Schichten.

II

Sie, die Mutter dieser beiden Kinder, die Frau des Iwan Iwanowitsch, verstand die Liebe so, wie sehr viele Frauen sie verstehen, wenn sie hinter jedem Schritt des Mannes gehen, jeden seiner Gedanken wissen wollen. Im Grunde genommen stören die Frauen den Mann beim Leben, stören ihn beim Denken und Arbeiten, wenn sie ihre Würde und damit ihr Selbst aufgeben; eine solche Liebe muß unweigerlich mit dem Zusammenbruch enden, weil auch die Liebessklaverei eine Sklaverei ist. In solcher Liebe gibt es kein Aufbauen. Jedes menschliche Leben und jede Liebe ließe sich bildlich darstellen: Das Leben dieser Frau glich in den Jahren nach der Trennung von ihrem Mann einem grellroten Tuch, einem Zigeunerschal, den man um den Arm gewickelt hat, der jedoch vom Winde hochgewirbelt wird und emporflattert – in diesen bei Kerzenlicht und trüber Dämmerung in Vorstadthäusern verlebten Nächten. Dieser Schal hat den Geruch von vielen Tabaksorten und Parfums angenommen, aber in diesem Geruch, tief verborgen, blieb der modrige Geruch aus früheren Tagen. Dann wickelte sich dieser Schal auf, fiel in einer sehr schmutzigen Moskauer Vorstadt auf den Boden, in den erstickenden Unrat menschlichen Daseins.

Der Sohn Iwan lebte bei der Schwester in der Provinz, der zweite Sohn, Nikolaj, zuerst bei ihr, dann gab sie ihn in ein Waisenhaus. Schon mit sieben Jahren wurde Nikolaj von den Qualen der Fallsucht erfaßt, ein einsames Kind in den widerhallenden Fluren des steinernen Waisenhauses. Seine Mutter erfuhr erst viele Jahre später, daß sein Vater, der dem Sohn nicht einmal seinen Namen gegeben hatte, ein Schurke war. Doch innerlich wußte sie es längst, denn nur die Gewissenlosen wagen mit solchem Unbedacht kranke Kinder zu zeugen; auch sie, die Mutter, hatte Abscheu vor sich selber, weil ihr Leichtsinn diesem Kind das Leben gegeben hatte, und kein Gericht der Menschen darf und kann so streng sein wie das Gericht eines Menschen über sich selbst ...

Und dann starb die Mutter. Würdig starb sie, und ihre Kinder, der heranwachsende Iwan, der weit weg lebte und gesund war, und der hinter der Waisenhausmauer lebende und an Fallsucht leidende Nikolaj, bewahrten alle Liebe und Achtung zu ihr. Sie starb an Typhus, aber der tiefere Sinn ihres Todes war, daß sie alles, was das Leben ihr gab, erlebt und erlitten hatte. Die Kinder kannten einander nicht. Und erst nach Jahren kam zu Nikolaj ins Waisenhaus ein Brief von seinem Bruder Iwan aus der Provinz. Der Bruder schrieb ihm, um ihn kennenzulernen, um das brüderliche Band herzustellen. Nikolaj antwortete ihm. Bruder Iwan erzählte ihm von dem Fluß, über dem er wohnte, von dem Heuschober auf dem Hof, von den Kameraden im Gymnasium, von den Vögeln und von den Feldern. Der Bruder Nikolaj schrieb von den Fluren des steinernen Hauses, von seiner Berufsschule, von dem alltäglichen Leben, von dem gemeinsamen Schlafsaal. Erst in späteren Briefen erzählte Nikolaj dem Bruder Iwan von seiner Krankheit. Beide schrieben viel von der Mutter, einer erzählte dem anderen alles bis auf die kleinsten Dinge, soviel eben ihr Gedächtnis von dem Heiligsten ihrer Seele – der Mutter – aufbewahrt hatte. Als Iwan vierzehn Jahre alt wurde und ihm die Tante von seinem Vater erzählte, schrieb Iwan an Nikolaj, daß ihr Vater noch am Leben sei. Diese Nachricht war für Nikolaj überwältigend, sie traf ihn so, wie es von Iwan gedacht war. Er begann vom Vater zu träumen, er, der es gelernt hatte, sich im gemeinsamen Schlafsaal des Waisenhauses zu verstecken, versenkte den Traum und den Gedanken an den Vater, die heimliche Sehnsucht und Zärtlichkeit tief in seinem Herzen. Iwan schrieb an den Vater, und der Vater antwortete ihm ausführlich und zärtlich. Iwan schickte den Brief des Vaters an den Bruder Nikolaj. Nikolaj schrieb an Iwan Iwanowitsch Iwanow, aber dieser antwortete ihm überhaupt nicht.

Es muß nun noch gesagt werden, daß diese Tage der Verbindung von Iwan und Nikolaj in die Zeit der großen russischen Revolution fielen.

III

Zehn Jahre des menschlichen Lebens sind keine lange Zeitspanne. Und zehn Jahre des menschlichen Lebens können doch eine riesige Zeitspanne sein!

Bei Iwan Iwanowitsch Iwanow, dem Vater, häufte sich hinter dem durchgesessenen Lederdiwan der Staub immer mehr und mehr, und wie früher ruhte die Stadt in sich selbst, mit ihren Gehwegen aus Holz und den Lattenzäunen entlang den Straßen. Das Leben mit der Pforte zum Hof, mit dem schweren Geruch im Flur und dem wuchernden Unkraut hinter den Fenstern blieb das gleiche. Es ist nicht wichtig, zu wissen, wer Iwan Iwanowitsch je gewesen war oder sein könnte. Vielleicht war er ein Gymnasiallehrer oder ein Statistiker bei einer ländlichen Behörde. Aber über sein Leben war jener Wind gegangen, der nach der menschlichen Behausung roch. An einem Tag dieser zehn Jahre erinnerte sich Iwan Iwanowitsch an den Brief seines Sohnes Iwan, der eines Morgens gebracht wurde und dessen erste Zeile lautete: „Guten Tag, mein lieber Vater" – und an jenem Tag wurde Iwan Iwanowitsch um zehn Jahre jünger, und in seinem Gedächtnis blieben die Sonne, die herrliche Stimmung der Dämmerung und eine schäumende Freude haften. Ein wenig nur kam jene schreckliche Nacht in seine Gedanken, jener Augenblick, als er von einer offenen Türe zur anderen und schließlich bis zur Pforte lief und auf der Straße in das Dunkel ihren Namen „Alenuschka!" rief. An diesem Tage, da er so froh erregt war, hätte er wieder genauso rufen mögen, nur lauter, endgültig alles verzeihend. Und dann setzte er sich hin und antwortete freudig seinem Sohn mit einem langen Brief.

Und bald danach kam ein anderer Brief, von Nikolaj, einer, der mit denselben Worten wie der Brief von Iwan begann: „Guten Tag, mein lieber Vater", und in unerbittlichem Haß stieg in ihm das Blut hoch, und den modrigen, verbrauchten Geruch jener Nacht verspürend, wollte er aufschreien: „Hinaus! Hinaus! Geh zu dem Liebhaber! Ich brauche keinen Bastard!"

Es war eine herbstliche Dämmerung. Vom vielen Regen roch es besonders dumpf im Flur. Sehr früh schon mußten die Kerzen angezündet werden. Es war zu jener Zeit, als die Donner der Revolution schon längst vorbeigerollt waren. Im Hof ächzte die Pforte, und jemand tappte mit einem Stock zum Flur. Die Tür öffnete sich, und von dort wurde leise gefragt: „Verzeihen Sie die Störung, wohnt hier Iwan Iwanowitsch Iwanow?"

„Ja, das bin ich", antwortete Iwan Iwanowitsch.

Ins Zimmer kam ein mittelgroßer Mann, gestützt auf einen Stock mit einer Gummizwinge, wie ihn die Krüppel gebrauchen. Seine Schultern waren hochgezogen, und in der Dämmerung schien sein Gesicht mit dem dünnen Bart blaß und müde. So blieb dieser Mann in Iwan Iwanowitschs

Erinnerung. Vorsichtig setzte der Fremde seine Füße in den Raum und blieb unsicher, doch mit freudiger Erwartung an der Schwelle stehen.

„Sie sind Iwan Iwanowitsch?“ fragte er schwer atmend. Mit Tränen in den Augen hob er die Arme, der Stock fiel auf den Boden.

„Vater, da bin ich ... dein ... Ihr Sohn Nikolaj!“

Iwan Iwanowitsch stand wie angewurzelt am Tisch. Es war der Tisch, auf dem sich der Stoff im Laufe der Zeit verfärbt hatte. Er reichte ihm keine Hand, drehte sich weg von Nikolaj und fühlte, wie jene Nacht vor Jahrzehnten wieder in diesen Raum trat. Leise sagte er: „Setz dich. Womit kann ich dienen?“

Nikolaj brachte keine Antwort hervor. Er setzte sich gehorsam und verstört auf einen Stuhl neben der Tür.

„Womit kann ich dienen?“ klang hart Iwan Iwanowitschs Stimme. Nikolaj begriff die Frage nicht. Die Kälte der Worte ließ ihn keine Entgegnung finden.

„Womit kann ich dienen!“ schrie sich überschlagend Iwan Iwanowitsch.

„Verzeihen Sie, ich verstehe ...“

Iwan Iwanowitsch schob hastig den Sessel vom Tisch fort und setzte sich Nikolaj gegenüber, dabei umklammerten die Hände die Lehnen. Dann hob Iwan Iwanowitsch die Krücke auf und reichte sie Nikolaj. Nikolaj nahm die Krücke an sich. Iwan Iwanowitsch blickte ihn scharf mit zusammengekniffenen Augen an.

„Verzeihen Sie, ich kenne Ihren Vatersnamen nicht“, begann flüsternd Iwan Iwanowitsch, seine Augen verengten sich noch mehr. „Ich kenne Ihren Vatersnamen nicht“, wiederholte er lauter. „Sie entschuldigen, aber Sie tragen meinen Namen durch ein Mißverständnis. Ich weiß nicht, wer Ihr ...“ Iwan Iwanowitsch unterbrach sich selbst und holte Zigaretten aus der Tasche.

„Verzeihen Sie, rauchen Sie? Nein? ... Also! Verzeihen Sie, ich habe nicht die Ehre zu wissen, wer Ihr ... Vater ist!“

Nikolaj schnellte ruckartig vom Stuhl hoch. Auch Iwan Iwanowitsch erhob sich. Die Krücke fiel wieder auf den

Boden, und Iwan Iwanowitsch reichte sie hastig Nikolaj. Die Augen Iwan Iwanowitschs waren krampfhaft zusammengezogen und schauten böse.

„Ja, ja, Sie müssen verzeihen, aber ich habe nicht die Ehre! Ich habe damit nichts zu tun! Ich habe nicht die Ehre! – ich habe nicht die Ehre zu wissen, mit wem – mit wem Sie Ihre Mutter gezeugt hat!“

Nikolaj hörte die Worte Iwan Iwanowitschs von fern an sein Ohr dringen. Er drehte sich um und wankte aus dem Zimmer. Er bemühte sich, eilig wegzukommen. Den rechten Fuß zog er hastig hinkend nach, in seiner rechten Hand hielt er die Krücke, und die rechte Schulter hatte er hochgezogen, wie es nur sehr kranke Menschen tun.

„Ich habe eben nicht die Ehre gehabt! Ich habe eben nicht die Ehre gehabt!“ schrie ihm Iwan Iwanowitsch nach.

Die Brüder Nikolaj und Iwan hatten verabredet, sich in der Stadt zu treffen, in der der Vater lebte. Nikolaj war einige Stunden vor Iwan angekommen. Iwan fuhr vom Bahnhof direkt zum Hotel. Er hörte, daß der Bruder schon da sei, aber niemand hatte ihn zu dieser Stunde gesehen. Als Iwan in das Zimmer eintrat, brannte eine Kerze auf dem Tisch. Iwan war groß und breit, ein von Gesundheit strotzender Mensch in der mit Orden dekorierten Uniform eines Regimentskommandeurs. Einsam brannte das flackernde Licht in Nikolajs Zimmer. Iwan erkundigte sich beim Kellner: „Haben Sie meinen Bruder gesehen?“

„Ich habe ihn nicht fortgehen sehen“, bekam er zur Antwort. Dann sah Iwan auf dem Boden hinter dem Tisch einen Mann liegen, der die Lehne eines Stuhles zitternd umfaßt hielt. Iwan, der kräftige Mensch, die Riemen mit Degen und Pistole umgelegt, nahm den Mann in seine Arme.

„Nikolaj, mein lieber Bruder, was hast du?“ fragte er besorgt. „Einen Anfall?“

Ruhig klang Nikolajs Antwort: „Nein. Den Anfall habe ich hinter mir. Jetzt bin ich gesund. Ich war ...“ Ihn quälten die Worte. „Ich war bei Iwan Iwanowitsch, bei deinem Vater. Er hat mir gesagt, daß unsere Mutter eine ... Er habe nicht die Ehre, zu wissen, wer mein Vater sei, mit wem meine Mutter mich gezeugt habe. So sagte er."

„Was? Unsere Mutter eine ..."

Auf dem Tisch des Hotelzimmers brannte die Kerze. Der kräftige Mann hielt den Schwachen an den Schultern. Hinter den Fenstern stürzten sich die Straßen in die Finsternis. Auf dem Tisch neben der Kerze lagen Zigarettenreste. Der starke Mann neben dem Schwachen auf dem Boden. So trafen sich die zwei Brüder zum erstenmal, zwei Menschen, die sich niemals zuvor gesehen hatten, aber seit den ersten Tagen ihrer Kindheit alles voneinander wußten. Sie sprachen von der Mutter, an die nur der eine von ihnen sich noch erinnerte, und für diesen Menschen, der in derselben Stadt lebte und zu dem sie gekommen waren, hatten sie nur ein hartes Wort. Er war ein Schuft, denn er hatte es gewagt, das Andenken der Mutter zu verunglimpfen.

In einer Provinzstadt sind die Gehwege aus Holz nicht nur dazu geschaffen, den daraufgeschlurften Dreck auseinanderzutreten, sondern auf ihnen werden auch Tratsch und Klatsch breitgetreten. Und dieser Mensch, Iwan Iwanowitsch Iwanow, dessen Leben den Geruch modriger und abgestandener Luft angenommen hatte, mußte noch einmal eine Nacht erleben, die jener anderen ähnlich war, in der alle Türen offengestanden hatten. Es war eine Nacht der Versuchung, jener Versuchung, die damals, vor Jahren, seine Frau von ihm fortgeführt hatte. Die Straßen stürzten sich in die Finsternis, die Erde weinte durch den Regen, und Iwan Iwanowitsch stand an der Pforte seines Hauses und wartete auf den Sohn, den Sohn Iwan, der ganz in der Nähe in einem Hotelzimmer auf dem Boden mit seinem Bruder Nikolaj saß. Und Iwan Iwanowitsch, der Vater, schrie in die Dunkelheit: „Iwanuschka!"

Der Sohn kam nicht zum Vater. Und am Morgen sah der Vater Iwan, den Sohn, auf dem Bahnhof. Es war eigentlich das einzige und das letzte Mal, daß er ihn gesehen hatte. Er, der Vater, stand in der dichten Menschenmenge. An ihm vorbei gingen zwei Männer. Der eine stützte sich auf die Krücke mit der Gummizwinge, und der andere, ein hochgewachsener, von Gesundheit strotzender Regimentskom mandeur, umgürtet mit den Riemen von Degen und Pistole, ein blonder, rotwangiger und Ruhe ausstrahlender Mensch, führte am Arm den Hinkenden. Und der Vater sah, daß seine Augen denen der Mutter glichen, jenen Seen, in denen früher einmal die Welt und die Sonne ertrinken konnten. Der Zug fuhr ab. Ein kurzes Pfeifen, Rauchwolken und ausklingender Lärm. Der Vater ging auf den hölzernen Gehwegen der Stadt, entlang den Lattenzäunen. Durch die Straßen zog der Wind. Durch die Straßen, auf schmalen Bretterwegen, ging ein gebrochener, grauer Mensch. Zu Hause im Flur umfing ihn der Geruch modrigen menschlichen Lebens.

IV

Das Gericht der Menschen kann nicht strenger sein als das Gericht eines Menschen über sich selbst.

11. Anna Seghers: Susi

Wir spielten als Kinder jeden Sommer zusammen, Susi und ich. Denn in den Ferien fuhr ich mit meinen Eltern immer nach Kronbach. Dort wohnten wir in dem Anbau des Hauses, das Susis Eltern gehörte. Es war das letzte Haus in der Dorfgasse, die Fenster hingen über dem wiesigen Abhang, und hinter dem Tal begann der Wald. Ich kannte nichts, was mir besser gefiel als dieser Wiesenabhang und dieser Wald, größtenteils Buchen, ein Streifen Fichten. Susis Vater, der Bauer Mangold, und Paul, sein Sohn, hatten zusammen ihr Haus durch den Anbau erweitert, der jedes Frühjahr frisch geweißt und im Sommer vermietet wurde. Er war meine Ferienheimat, er war eine Zeitlang meine richtige Heimat, aber immer nur kurz, solange die Ferien dauerten. Ich glaube, ich habe als Kind vor Freude gezittert, wenn wir die Kleinbahn nach Kronbach bestiegen.

Paul Mangold holte uns mit seinem Vater, manchmal

auch mit seinem kleinen Bruder, dem Fränzchen, an der Station ab; sie legten unser Gepäck auf den Karren, der so sonderbar dünn in einen hineinknirschte; etwas wächst mit der Zeit über dem Knirschen zu, und Jahre später, bei
5 einem unerwarteten Ruck, auf den man gar nicht gefaßt war, platzt die Naht auf, so daß es wiederum knirscht, wie früher, dünn, tief, doch trocken und bitter.

Nach diesem Empfang an der Bahn, der in Wirklichkeit vollkommen herrlich war, ging es bergauf ins Dorf. Die
10 Gasse stieg noch ein wenig an. Und vor der Haustür stand, uns erwartend, Frau Mangold mit ihrer Tochter Susi.

Susi hatte den Kopf geneigt, sie lächelte freudig, ein wenig listig. Sie war kräftig und schmal, ihr Haar war braun, ihre Haut gebräunt. Sie war vielleicht zwei Jahre
15 älter als ich. Das weiß ich, denn sie kam vor mir zur Schule. Sie mußte Aufgaben machen, sie mußte trotzdem viel in der Wirtschaft helfen und im Gemüsegarten. Ich half der Susi, und ich lernte viel bei der Hilfe, damit wir schnell zum Spielen kamen, wir liefen bergab in die Wiesen hinein, und
20 die Heuschrecken hüpften um unsere Beine, manchmal gab es schon im August Herbstzeitlosen. Wir saßen über dem Bach auf einer Brücke aus Steinen, die bloßen Füße im Wasser. Auf Susis Haar lag ein Schimmer, ich öffnete langsam ihre Zöpfe und suchte nach den Fäden, aus denen
25 der Schimmer kam, es gab aber in den Zöpfen nur braune und rötliche und gelbliche Fäden. Schließlich raffte Susi ihr Haar zusammen und flocht ihre Zöpfe frisch. Jetzt war der Schimmer wieder da, auf ihrem Scheitel und auch auf ihren Augen. Ich hatte damals noch nicht begriffen, wie schön
30 Susi war, so schön, daß es einen verwirrte.

Wir planschten im Wasser herum. Wir fingen Heuschrecken, Schmetterlinge zu fangen widerstand uns. Wenn die Ferien zu Ende waren, und es hieß abreisen, weinten wir beide. Im nächsten Jahr fing dann wieder alles
35 von vorn an, mit dem Knirschen des Karrens, das aber in Wirklichkeit nicht trocken und bitter war, sondern Freude verheißend.

Doch später kam eine Zeit, in der wir nicht mehr die Ferien in Kronbach verbrachten. Wir blieben zu Hause, oder wir fuhren woandershin. Ich weiß es nicht mehr genau. Was vorher geschehen ist, weiß ich ganz genau und für immer. Was später geschah, ist mir unklar.

Ich war schon erwachsen, da fuhr ich noch einmal auf gut Glück mit der Kleinbahn nach Kronbach. Niemand holte mich ab. Ich ging allein die steile Dorfstraße hinauf.

Paul Mangold, der älteste Sohn, wohnte jetzt mit seiner eigenen Familie im Anbau. Seine Mutter war inzwischen gestorben. Der Vater hatte wieder geheiratet. Fränzchen war ein großer, schlaksiger Bursche. Weit fort nach Frankreich sei Susi mit ihrem Mann gezogen, erzählte mir Paul. Wäre diese Trennung nicht gewesen, hätte die Mutter wahrscheinlich länger gelebt. Sie hätte übermäßig an Susi gehangen.

Ich fragte, ob Susi glücklich geworden sei. Und Paul erwiderte: „Nun ja, wie man's nimmt."

Ich ging auf einem Umweg durch die Wiesen, um zu sehen, ob es schon Herbstzeitlosen gäbe, zur Bahnstation zurück.

Im ersten Weltkrieg machten wir keine Ferienreisen. In den Städten und Dörfern lagen Soldaten. Sogar in Kronbach. In dieser Zeit hat der Bauer Mangold einen kleinen Ausschank in seinem Anbau eingerichtet. Denn der Dorfkrug reichte nicht mehr aus. Der Dorfkrug und der Mangoldsche Ausschank waren zuerst voll feldgrauer deutscher Soldaten; dann waren sie voll bläulich-grauer Besatzungssoldaten. Aus diesem und jenem Grund gab es übermäßig viel Einquartierung, und dann war es wieder still, und dann gab es wieder Einquartierung. Die Kleinbahn fuhr aus Kronbach weiter nach größeren Ortschaften, in denen die meisten wohnten. Doch machte es den Besatzungssoldaten Spaß, zur Abwechslung mal etwas in Kronbach zu trinken.

Susi bediente meistens, weil ihre Mutter schon damals nicht mehr fest auf den Beinen war. Auf Susis Gesicht, das nicht mehr so stark gebräunt war wie ihre Arme, lagen die Schatten dichter Wimpern. Sie stellte schnell auf den Tisch, was verlangt wurde. Ihr Vater oder ihr älterer Bruder gab hinter der Theke acht. Ein Gast sagte zum andern: „Die ist mal schön", oder: „Guck mal, das ist ja 'ne wahre Schönheit." Sie wurde aber nie angefaßt, man lachte kaum mit ihr, man war bei ihrem Anblick eher erstaunt.

Ein junger Soldat, der ziemlich spät und zum erstenmal kam, betrachtete ihren braunen glatten Arm, als sie das Glas vor ihn hinstellte. Der Arm war rund und fest, aber schmal. Er hatte eine Rille unter der Beuge. Der junge Soldat sah an ihr hoch, er sah ihren Mund, ihre dichten Wimpern, ihre runde Stirn. Er bekam Angst, sie würde sogleich vom Tisch weggehen, und er griff nach ihrem Arm. Sie sah ihn an, und er ließ ihren Arm verwundert los. Er trank sehr langsam, er sah sie andauernd durstig an. Am nächsten Abend kam er wieder und auch am übernächsten. Wenn er abends Dienst hatte, kam er am hellen Tag.

Sie sah ihn groß an, ohne zu lächeln und ohne zu blinzeln; weil er nicht genau wußte, wie man auf deutsch sagt: Ich muß dich wiedersehen, schrieb er auf einen Zettel: „Ich muß dich immersehen." Über diesen Zettel, den sie schnell einsteckte und hinterher sorgsam aufhob, lachten sie später noch oft, solange ihnen zum Lachen zumut war.

Im Buchenwald über dem wiesigen Abhang, den man vom Mangoldschen Haus sehen konnte, hatte der Holzschlag begonnen. Durch die Lücken im Waldsaum sah man einige Stellen Himmel. Denn der Hügel fiel hinter dem Wald steil ab in ein zweites wiesiges Tal. Als Kinder hatten wir dort auf der Sonnenseite Brombeeren gepflückt. Und Susi ging mit ihrem Korb hinüber nach Brombeeren. Jean, so hieß der Soldat, half ihr beim Pflücken. Sie ruhten sich zwischen den Holzstapeln aus. Ihr Kopf lehnte an seinem Arm. Zuerst fuhr sein Mund über ihr sonnenwarmes Haar. Sie sprachen unbeholfen miteinander. Aus seinem Leben erfuhr sie dieses und jenes. Seit langem war er ein Waisenkind. Seine Patin, die Großtante, hatte Mutterstelle an ihm vertreten. Sie hatte ihn immer beschützt, sie erwartete ihn. Er hatte Kellner gelernt, und auch die Wirtsleute, bei denen er in Stellung gewesen war, in St. Cloud bei Paris, im Pavillon Bleu, erwarteten ihn. Sie waren ihm gut gesinnt. Er küßte Susi auf den Arm und auf den Hals, sie schubste ihn von sich weg, nicht schroff. Plötzlich fiel ihm sein Dienst ein, er bekam einen gewaltigen Schreck, er mußte zur Bahn rennen. Susi sah ihm nach, sie ging benommen heim, ihr kam es vor, der Bruder Paul starre ihr auf den Arm und auf den Hals.

Die nächsten Wochen kam Jean nicht mehr in den Ausschank. Susi ging, wann es ihr paßte, zu ihm hinauf in den Holzschlag, im Sonnenschein und im Mondschein. Sie war nur ruhig, wenn sie bei ihm war, und auch er war nur ruhig, wenn sie kam. Alle anderen Stunden waren wertlos.

Aber die Mutter sagte: „Hör mal, Susi, ich kann es nicht glauben von meiner Tochter, was man sagt, ich will es nicht wahrhaben." Susi sah ihre Mutter an und sagte: „Doch, es ist wahr."

Der Vater war hinzugetreten. Er spannte die Brust, um zu brüllen. Der Zorn blieb ihm im Halse stecken. „Stimmt das, Tochter?" – „Ja", sagte Susi, „es stimmt, und ich hab niemand so lieb wie ihn." Sie fügte hinzu: „Seid ruhig, ich bring ihn zu euch ins Haus."

Am nächsten Nachmittag kam Jean mit ernstem Gesicht zu den Eltern. Sie setzten sich an den Tisch, er sprang bald auf, tat der Mutter diesen und jenen Handgriff. Doch ihr Gesicht blieb bekümmert. Der Vater Mangold fragte ihn aus, und er sprach von seinem Kellnerberuf, von seinem Lohn. Zusammen mit den Trinkgeldern verdiente er allerhand.

Von nun an half er, wenn er frei war, bald in der Küche, bald im Garten. Keine Art Arbeit war ihm fremd. Er war auf dem Land groß geworden. Und die Erde hinter der Grenze war von der gleichen Sorte wie hier. Er erzählte viel von seiner Patin, der Tante Eveline, von ihrem Birnbaum. Dutzende Flaschen hingen an seinen Ästen. Denn die Patin stülpe die Flaschen schon über die kleinen Birnen und binde sie fest, so daß sie in den Flaschen reiften, jede im eigenen kleinen Treibhaus, zuletzt, wenn sie dick und reif seien, müsse man die Flaschen zerschlagen.

„Unsere Mollebusch-Birne", sagte der Bauer, „die hat's auch in sich, auch ohne Flaschen."

Nachts sagten die Eltern zueinander: „Das scheint doch

ein braver Junge zu sein. Schließlich, viel anders war's bei uns auch nicht."

Sie dachten beide damals noch von sich selbst, was sie vereine, sei für jetzt und immer, bis daß der Tod euch scheidet. *Immer* sei das Leben schlechthin, dachten beide. Herr Mangold ahnte nicht, daß er ein neues Weib nehmen würde für sein Bett, seine Küche, seinen Ausschank, seine Felder und seinen Garten, wenn der Tod sie geschieden hatte.

Susi lächelte froh, weil sie merkte, wie ihr Jean den Eltern gefiel. Die Kümmernisse verschwanden aus dem Gesicht der Mutter. Nur Paul schimpfte manchmal auf den Bräutigam. Im ersten Besatzungsjahr, da hatte man solchen Mädchen, die bei einer Liebschaft mit Franzosen ertappt wurden, die Zöpfe abgeschnitten. Das war aber lange her. Und voriges Jahr hatte die einzige Tochter des Bürgermeisters von Sassenheim nach Dijon geheiratet.

Manchmal, wenn die Mutter vom Stall heraufkam, roch es bereits nach Braten, der Tisch war wie am Sonntag gedeckt. Jean servierte, jedem extra, bitte Madame, und bitte Monsieur, alle lachten, selbst Paul.

Obwohl kein Grund mehr dagegen sprach, sich im Haus zu treffen, saßen die zwei am liebsten im Holzschlag. Doch das Holz wurde abgefahren. Auf den Abhängen wuchsen Herbstzeitlosen. Auch Jeans Dienst ging zu Ende. Er sagte mit neuer Heftigkeit: „Du und ich, wir gehören zusammen, für immer." Und er suchte in ihrem bräunlichen Haar nach den einzelnen Fäden, die es so stark zum Schimmern brachten.

Er bat die Eltern, als er wegfahren mußte, man möge ihm Susi mitgeben, damit er sie seiner Patin, der Tante Eveline, zeige, die wie eine Mutter zu ihm sei; er bezahle selbst hin und zurück.

Der Vater gab schließlich nach. Die Mutter blieb unwillig, stumm. Doch kaufte sie blauen und braunen Wollstoff, und sie nähte für Susi zwei Kleider. Es ging auf November.

Susi war reiseerregt. Ihr war es nicht bang vor der Fahrt. Von Kronbach zur Grenze war es nicht weiter als von der Grenze nach Courcelle. Sie wäre mit ihm bis ans Ende der

Welt gezogen. Nur, als sie schon im Zug stand und zur
Mutter hinuntersah und die Kleinbahn losruckte, da weinte
sie laut auf. Warum, das wußte sie nicht, es hatte plötzlich
in all ihrem Glück aus ihr herausgeweint. Jean erschrak. Er
zog sie schnell weg. Ihre Augen küßte er trocken, und er
griff ihre Schultern und ihre Brust in dem braunen Woll-
kleid. Da vergaß sie auch bald ihren Kummer. Sie lachte
ebenso froh, vielleicht noch froher als Jean. Spätabends
kam man in Courcelle an.

Auf den ersten Blick war sie der Großtante Eveline gut.
Im Häuschen brannte ein offener Kamin; so was gab es
daheim nicht. Jean zeigte ihr den in dieser Jahreszeit
kahlen Birnbaum, an dem die Flaschen hängen würden.
Manchmal redete er so heftig und schnell auf die Patin ein,
daß Susi kein Wort davon begriff, obwohl sie die Sprache
ganz gut verstand. Tante Eveline preßte ihre Lippen
zusammen, während Jean sprach. Sie gab ihm manchmal
ganz schroff Antwort, aber mit Susi war sie überaus lieb
und gut.

Susi war es nicht bang mit der Patin allein in dem
warmen Häuschen, während Jean nach Paris fuhr, um bei
seinem ehemaligen Patron vorzusprechen. Sie schrieb
ihren Eltern, alles sei gut, noch besser, als sie sich's vorgestellt hätte, die Tante Eveline sei sehr gut, und Jean versi-
chere sich seines Arbeitsplatzes, sie könne unmöglich plötzlich weg.

Schließlich kam Jean aus Paris. „Ja, mein Lieb, ich
behalte die Stelle", sagte er fröhlich. Ihr schien er nicht
ganz so fröhlich, wie er sprach. Er saß manchmal nachdenk-
lich bei der Tante, wenn aber Susi ins Zimmer trat, sprang
er auf und war wieder fröhlich, und die Tante war immerfort gut mit ihr.

Jean sagte: „Nein, nein, ich laß dich nicht heimfahren,
nie mehr. Du bleibst mit mir, mein Lieb, für immer und
ewig." – „Ja, gewiß", sagte Susi verwundert, „nur, besser
wär's, ich fahr noch mal heim."

Dann überlegten sie hin und her. Und sie schrieb zuletzt:
„Jean hat schon Wohnung gemietet, in Boulogne-sur-
Seine. Das liegt zwischen Paris und St. Cloud, und er hat

seine Arbeit in St. Cloud. Bitte schreibt mir nach Boulogne-sur-Seine, Rue de la Gare 12. Jetzt ist es für mich zu schwer, die Reise hin und zurück. Jean könnte nicht mit mir fahren. Er braucht mich auch sehr für die Wohnung und für seine Wäsche und für seinen Anzug, damit gleich alles gut klappt."

Der Vater schrieb ungehalten zurück, ihnen gefalle das gar nicht, nur Standesamt, ihre einzige Tochter. Hier hätten sie sich auf die Hochzeit gefreut, in der Kirche und nachher daheim ein Hochzeitsessen.

Als Jean diesen Brief gelesen hatte, sah er Susi prüfend an. Susi sagte nur, das mit dem Standesamt könnten sie bald mal machen, und wenn er eingelebt sei auf seinem Platz, könnten sie beide zusammen heim auf Urlaub. Jean sagte eifrig: „Ja."

Er sah gut aus in seinem schwarzen Anzug. Susi rieb und nähte und bürstete ständig an ihm herum. Er hatte ein ruhiges, junges Gesicht, seine Hände waren geschickt. Die Gäste konnten ihn gut leiden. Manchmal brachte er ein Geschenk heim für ein unerwartetes Trinkgeld. Dann lachte sie froh. In ihrer Wohnung gab es nur die allernötigsten Möbel und fast kein Bettzeug und fast kein Geschirr.

Hinter Boulogne, auf der Seine-Halbinsel, lag die große Autofabrik Renault. Von den Fenstern aus sah man die vielen Lichter. Susi konnte sich nicht satt sehen.

Jeans bester Freund Viktor war Vorarbeiter bei Renault. Er kam oft herauf, brachte stets eine Flasche Wein. Susi hörte gern zu, wenn die zwei sich ernstes und lustiges Zeug erzählten. Viktor sprach gern Politisches; Jean erzählte von seinen Gästen, er konnte alle nachahmen. Darüber lachten sie viel. Doch Susi ärgerte sich, wenn die zwei Freunde die Köpfe zusammensteckten und ihr Gespräch abbrachen, sobald sie eintrat.

Sonntags hatte Jean oft Arbeit, manchmal Tag und Nacht. Da war es Susi bang. Sie war froh, wenn Viktor nach ihr sah. Viktor faßte manchmal nach ihrer Hand, aber sie zog die Hand schnell weg. Seine Augen waren gut, manchmal traurig.

An einem Wintersonntag, als Jean wieder auf Arbeit

war, saß Viktor lange stumm neben ihr, und er sah sie an mit guten, traurigen Augen. „Hör mal, Suzanne“ – so nannte er sie –, „ich muß dir was sagen. Ich hab solche Angst, weil Jean dir noch immer nichts gesagt hat, du hörst's doch noch von Fremden, von Schwätzern ...“

Susi legte ihr Nähzeug in den Schoß. Sie wurde unter der Haut, die immer noch bräunlich war, ganz bleich, sie fühlte an Viktors Stimme, daß gleich etwas Schlimmes kam.

„Er hat schon eine Frau, weißt du, Suzanne, eine Frau in Véziny. Als er noch ganz jung war, im ersten Kriegsjahr, hat er sie heiraten müssen. Ihr Vater, ein Böser, Strenger, der sich wunder was dünkt mit seinem Installationsgeschäft, der hat nicht lockergelassen, und dann kam Jean noch mal auf Urlaub, und kurz und gut, sie haben zwei kleine Mädchen, und diese Leute sind fromm, und so was wie Scheidung gibt es bei denen nicht. Das hat Jean gewollt, aber er hat es nicht durchgesetzt, er hat nur dich lieb, verstehst du. Die Frau ist ihm ganz eins, er weiß erst jetzt, was das heißt, jemand liebhaben, und du darfst ihn jetzt nicht im Stich lassen, sonst verzweifelt er. Er fährt ja nur höchstens einmal im Vierteljahr nach Véziny, denn die kleinen Mädchen, was können die auch dazu? So mußt du es nehmen. Er hat ja nur dich lieb, ich hab es dir auch nur sagen müssen, damit du es nicht von Fremden hörst, die alles in den Dreck ziehen, und wenn dir das geschehen würde, er könnte es nicht ertragen und ich auch nicht, Suzanne.“

Darauf sagte Susi nichts; ihr Mund war fast weiß geworden.

Viktor sagte eifrig: „Wollen wir ausgehen? Soll ich dir hier einen Kaffee kochen?“ Nach einer Pause sagte er: „Er hat es dir nicht sagen können. Er hat dazu nicht den Mut gefunden.“

„Nein“, sagte Susi, „und du, bitte, geh jetzt.“

Viktor ging zögernd aus dem Zimmer. Er horchte hinter der Tür. Er hörte gar kein Geräusch. Sie weinte wohl nicht.

Sie wartete, bis es sicher war, Viktor war fort. Dann packte sie ihre Siebensachen zusammen. Jean hatte gesagt, er würde Sonntag erst spät zurück sein. Sie fuhr an den Ostbahnhof. Der Nachtzug fuhr in ein paar Stunden. Und morgen mittag, dachte sie, bin ich in Kronbach.

Das war nicht schlecht, und das war nicht gut. Nie mehr würde etwas richtig schlecht, nie mehr richtig gut sein. Sie setzte sich in einen Wartesaal. Als es Abend war, ging sie hinaus auf den Bahnsteig.

Der Zug war noch nicht eingelaufen. Es war zwischen zehn und elf. Auf einmal kam Jean die Treppe heraufgestürzt; er sah sich wild um; er erblickte sie. Er schlang beide Arme um ihren Leib, er sagte: „Ich laß dich nicht los, nie, nie. Und du willst auch nicht von mir, so etwas Furchtbares willst du nicht."

Als Susi ganz starr blieb, sagte er: „Du hast doch selbst gesagt, für immer. Und ich, ich auch, ja. Mir hat's an Mut gefehlt, ich hab Angst gehabt, du läßt mich trotz allem allein. Aber du läßt mich nicht allein, nie. Versprich es. Hat dir Viktor alles erklärt? Er ist, weißt du, ein guter Freund; er fuhr gleich hinaus nach St. Cloud, denn ich war ja in Arbeit, und er sagte, laß dich vertreten, sag, jemand sei krank, du mußt sofort zu ihr. Du warst aber, als ich heimkam, schon fort. Da hab ich mir einen Reim drauf gemacht, wo du hin bist, der Nachtzug war aber noch nicht weg, Gott sei Dank. Ach, Susi, wenn du mich liebhast, wirklich, dann darfst du nicht den Mut verlieren, du nicht."

Susi bewegte die Lippen, er spürte, sie wurde ein wenig locker in seinen Armen. Er wiegte sie immerfort hin und her. Es war auf dem Bahnsteig dampfig, es war dunkel, bis auf die Bahnlichter. Die vielen Passagiere in ihren eigenen Abschiedssorgen sahen nur flüchtig auf sie hin.

Sie gaben dann das Billett zurück. Sie fuhren nach Boulogne-sur-Seine. Susi hatte noch nichts gesagt. Er küßte sie auch nicht, er lag still neben ihr. Sie schliefen beide erst gegen Morgen ein.

Viktor, der Freund, war froh am nächsten Abend, als sie zu dritt aßen und tranken.

Sie war so still in den folgenden Wochen wie in ihrer ersten Liebeszeit. Sie stellte ihm keine Fragen. Nach Hause schrieb sie, sie sollten nicht böse sein, wenn sie die Reise wieder verschieben müsse. Denn jetzt spare Jean, um eine Wirtschaft zu pachten.

Man hatte ihm eine angeboten in Meudon. Da, wo ein Neubau entstand. Es gab viele Maurer als Kunden; kleine Beamte und Geschäftsleute würden folgen, wenn der Häuserblock eingerichtet war. Jeans Herz hing daran, selbst Wirt zu werden.

Sein Patron, obwohl er ihn ungern ziehen ließ, hatte ihm gutmütig die Anzahlung vorgestreckt. Jean besorgte allein mit Susi die ganze Wirtschaft. Viktor und einige Freunde hatten ihnen beim Tapezieren geholfen, auch beim Putzen und Einrichten, denn das Lokal war schmierig, verwahrlost. Sie weihten es lustig ein, bezahlten selbst, diese Freunde, was sie aßen und tranken.

Da beide wußten, wie man mit Gästen umgeht, und da ihre Küche billig und gut war, waren die Tische voll besetzt. Mit Leichtigkeit gaben sie Jeans Patron die Anzahlung zurück, und auch die ersten Raten bezahlten sie glatt ab.

Viktor bat Jean, ihm das kleine Lokal für einen Parteiabend zu überlassen, und, als es dort allen gefallen hatte, ein zweites und ein drittes Mal. Jean war zwar nicht auf Politik aus, es hätte ihm aber widerstanden, seinem besten Freund abzusagen für diesen Zweck, wenn auch die Bestellung gering war und die frühe Schließung manchen ständigen Gast verdroß. In diesem Jahr, und gerade in dieser Gegend, hatte das „Feuerkreuz" einen starken Anhang. Bei der dritten Zusammenkunft der Parteigruppe überfielen sie das Lokal. Sie schmissen die Teller an die Wände, die schöne Tapete war gleich verdreckt, es gab eine wütende Prügelei. – Zwar versuchte nun Viktor mit seinen Freunden erst recht, den Schaden gutzumachen und die Unkosten zu ersetzen und selbst anstelle der Gäste zu kommen, die der Vorfall abgeschreckt hatte, doch der Besuch des Lokals nahm im ganzen ab. Jean und Susi hatten jetzt ihre Mühe, die Raten aufzubringen. Dazu verzögerte sich der Neubau. Die als Gäste erwarteten Mieter fehlten. Weil es auch an Baumitteln fehlte, blieben die Maurer aus, die gern hie und da bei ihnen etwas verzehrt hatten, unter dem sanften Gesicht der Frau.

Jean lieh wieder beim alten Patron. Der sagte: „Ich geb's dir ja, Jean, nur hab ich Angst, du kommst auf den Hund. Werd dein Lokal lieber rechtzeitig los, ohne Schulden, ich wüßte da jemand, der springt ein. Und wir sind nur froh, wenn du wieder zu uns auf Arbeit kommst."

Jean war betrübt; er ließ sich aber beraten. Und auch Susi sah's ein. Sie hatten nun mal kein Glück gehabt.

Er war längst wieder Kellner im Pavillon Bleu, da fand sie beim Ausbürsten in seinem schwarzen Anzug die Photographie der zwei kleinen Mädchen. Die sahen ganz zierlich und pfiffig aus. Sie verstand auch, daß er an ihnen hing. Nur, das Herz tat ihr weh. Es tat ihr besonders weh, daß sie selbst keine Kinder hatten.

Sie merkte es seinem Gesicht an, wenn er zu ihr sagte, ich muß heute abend in St. Cloud bleiben, ob es sich so verhielt oder ob er wieder einmal nach Véziny fuhr. Er war aber immer, immer gut und behutsam zu ihr, wie am ersten Tag in Kronbach. Wie weggewischt war ihr Kummer, wenn er ihr übers Haar strich.

Einmal, überraschend, erschien Paul, der ältere Bruder. „Die Mutter schickt mich, sie sehnt sich nach dir. Sie ist gar nicht richtig auf dem Posten. Fahr wenigstens du einmal hin, Paul, hat sie gesagt, und erzähl mir, wie's Susi geht."

Susi freute sich mit dem Bruder. Sie hätten mit ihren Plänen Pech gehabt, erzählte sie ihm, da müßten sie wieder von vorn anfangen. Sie wußte, das sei ihren Leuten noch verständlich, sie würden sich aber furchtbar grämen, wenn sich herausstellte, daheim, bei der Anmeldung, sie sei noch die Susi Mangold, unverheiratet.

Jean, als er heimkam, bereitete ein festliches Abendessen für den unerwarteten Gast. Wie Paul auch äugte, er merkte immerzu, die Liebe war richtig, und eins war gut zum anderen. Der Haushalt war ordentlich, wenn auch, mit dem vollen Tisch verglichen, ein bißchen dürftig.

Viktor kam einen Sprung herauf, um auf Pauls Wohl anzustoßen. Das stand ihm wahrhaftig zu, denn er hatte, ohne daß Susi es ahnte, dem Freund gehörig geliehen, damit das Festmahl zustande käme. – Es war im letzten Jahr schwierig geworden, Geld zu verdienen, auch der Pavillon

Bleu war nicht andauernd voll. Wenn auch noch reiche Gäste kamen, sie knauserten mit den Trinkgeldern; das hatte Jean manchmal erwähnt.

Davon merkte Paul nichts. Obwohl er daheim erzählte, Susi sei vergnügt und gesund, wurde die Mutter die Sorge nicht los, ob sie nun irgend etwas erriet oder ob ihr die Krankheit das Herz schwermachte.

Susi erschrak, als Paul bald darauf schrieb: „Komm, wenn du die Mutter noch sehen willst." Sie ließ alle Bedenken sein, sie scherte sich diesmal auch nicht darum, daß Jean ganz verzagt war, sie fuhr allein nach Kronbach.

Sie stieg von der Kleinbahn herauf ins Mangoldsche Haus. Sie merkte schon in der Tür, an den Gesichtern und Stimmen, der nächste Tag wäre zu spät gewesen. „Setz dich auf mein Bett", sagte Frau Mangold ohne Vorwurf, mit geradezu leuchtenden Augen.

Nach einer Weile fragte sie mühsam: „Hast du ihn immer noch arg lieb?" – „Ja, Mutter", sagte Susi. Frau Mangold streichelte ihren Arm, das hatte sie nie im Leben getan. Sie sprach nicht mehr viel. Ihre Augen leuchteten auch nicht mehr. Sie starb bald nach Susis Ankunft.

Ihr Tod und ihr Begräbnis machten einen Wirrwarr im Dorf, so daß niemand viel auf Susis Papiere achtgab. Sie zog still wieder ab. An ihrem Vater und an ihren Brüdern hing sie nicht so stark wie an der Mutter. Das war ihr klargeworden. Und auch, daß sie jetzt niemand mehr auf Erden besaß als ihren Jean.

Der hatte ihr bei der Rückkehr auf den Tisch und ans Bett Blumen gestellt wie einer Braut. Jeden Tag frische, verriet ihr Viktor, als Gewähr, daß sie komme. So war doch noch in ihm eine Bangnis, er könne die Frau verlieren durch eigene Schuld.

Es machte ihnen nichts aus, daß das Geld manchmal knapp war. Jean hatte viel weniger Arbeitsstunden. Sie richtete immer ein kleines Mahl aus allem Erdenklichen und aus nichts. Manchmal schickte die Großtante Eveline Schinken und Wurst; sie schickte im Herbst einen Korb Birnen.

Einmal saß Susi am Fenster und nähte. Und Jean, nach

der Nachtarbeit, lag auf dem Bett. Sie hörte ihn leise stöhnen; sie glaubte zuerst, im Schlaf. Doch später kam er schlecht hoch. Er ging auch widerwillig und angestrengt auf Arbeit. Es tat ihm weh, wenn er sich bückte, sie zog ihm
5 Kleider und Schuhe an und aus. Einmal unterbrach er die Arbeit; als er vor der Zeit heimkam, war sein Gesicht gelblich, entstellt.

Viktor brachte ihn zum Arzt. Er verriet aber nicht, was ihm fehlte, auch Viktor nicht. Er lag Stunden und Tage auf
10 dem Bett. Er aß fast nichts. Arzneien durften sie ihm nicht kaufen, er, der so sanft war, sagte erbittert: „Wozu? Das nützt alles nichts."

Da kein Geld zur Miete da war, ging Susi zur Frau des Patrons und bat um die Arbeit, die Jean gemacht hatte,
15 oder um eine andere. Von nun an reinigte sie die Säle im Pavillon Bleu, und sie deckte die Tische; manchmal bediente sie Gäste. Die Mädchen und Frauen, die auch dort in Arbeit standen, waren neugierig auf Jeans Freundin. So schön, wie das Gerücht gewußt hatte, kam sie ihnen nicht
20 vor. Ihr Haar, sicher, war immer noch eine Pracht. Und aufrecht und stolz war ihr Gang. Sie hätten ganz gern, nicht allzu böse, an Jeans Freundin herumgestichelt. Ob es denn wahr sei, er hätte schon mal geheiratet in Véziny? Sie antwortete ruhig, das sei möglich, sie rede darüber nie mit
25 Jean, jetzt sei er zu krank zum Reden. Ob sie denn wisse, fragten die Leute, arbeitslos sei er nie gewesen, keine Stunde, der Pavillon Bleu sei immer besetzt, er habe aber schön Geld verspielt, mit Pferdewetten. – Das hatte Susi nicht gewußt, das traf sie stark. Sie erwiderte mehr sich
30 selbst als den geschwätzigen Mädchen, er sei schon recht lange krank, ein bißchen Freude hätte ihm wohlgetan. Das Pferdewetten sei so ein bißchen Freude.

Sie sagte auch nichts daheim. Sie wollte ihn nie mehr erzürnen, sie wusch vorsichtig seinen armen Leib. Viktor
35 brachte den Arzt herauf, und Jean drückte Susis Hand, als ihn die Hände des Arztes quälten. Er lag stundenlang wortlos da, nur stöhnend. Wenn sich Susi über ihn beugte, kam etwas Helles in sein Gesicht. Er sagte einmal: „Dir hätt ich am liebsten den Himmel heruntergezogen, und wir

hatten nicht mal ein bißchen Glück.“ Susi sagte: „Wir waren aber doch immer glücklich.“

Der Arzt befahl, ihn ins Krankenhaus zu bringen. Wenn Susi in den Saal kam, suchte sie schon in der Tür seinen Blick, und sie lief an sein Bett und beugte sich tief herunter, damit er ihr Haar anfühlen konnte. Das tat ihm immer noch gut. Nach ihrem vierten Besuch sah Viktor, der stets auf sie wartete, ihr am Gesicht an, was geschehen war. Sie ließ sich gedankenlos unterfassen.

Viktor half ihr ein schönes Begräbnis zu richten, er suchte mit ihr einen Sarg und einen Grabstein aus. Sie hatte das Geld, das dazu nötig war, bei der Wirtin im Pavillon Bleu geliehen. Sie versprach, es abzuzahlen übers Jahr, von ihrem Lohn.

Kaum saß Susi allein im leeren Zimmer, im schwarzen Kleid, mit ihrem unnütz reichen Haar, da klopfte es ziemlich stark.

Die fremde Frau, die in der Tür stand, gleichfalls in schwarzem Kleid, sagte: „Ich weiß, Jean ist gestorben. Ich will ein schönes Begräbnis für meinen Mann.“

„Jean ist schon begraben“, sagte Susi, „so schön wie möglich.“

Die fremde Frau sagte: „Dann geb ich Ihnen zurück, was Sie vorgelegt haben, sofort.“

Susi sagte: „Nein, danke.“

„Ich will es“, sagte die fremde Frau, „es ist meine Sache.“

„Nein“, sagte Susi, „meine.“

Die fremde Frau ließ nicht locker. „Ich will kein schäbiges Grab.“

Susi stand aufrecht da. Sie sagte: „Er hat ein sehr schönes Grab.“

„Ich muß“, sagte die Frau, „sein Grab den Kindern zeigen.“

„Gewiß“, sagte Susi, „das müssen Sie.“

Die Wirtin im Pavillon Bleu wußte, was sie an Susi hatte. Die war geschickt und zuverlässig. Susi putzte und nähte und bediente die Gäste. Sie zahlte jeden Monat einen Teil ihrer Schulden. Alle Leute, die Jean gekannt hatten, merkten, wie fest sie zu ihm stand, wie hoch sie ihn immer noch hielt.

Das alles erzählte mir Susi in einer Nacht im Krieg im verdunkelten Zimmer, von Anfang bis Ende. Der Anfang – das war ihre erste Begegnung im Ausschank des Vaters. Und die Begleichung der letzten Begräbnisschulden war das Ende, sofern es ein Ende gab.

Sie hatte später in ihrem großen Alleinsein schließlich eingewilligt, Viktor zu heiraten. Der hatte sie aufrichtig lieb. Der war inzwischen Meister geworden im Renault-Werk. Es gab eine echte Heirat, ordentlich, auf dem Papier.

Kurz vor dem Krieg war ich auf beide gestoßen. Ich hatte „Susi!" gerufen, ich weiß nicht, woran ich sie erkannte, denn sie war eine ernste, feste Frau. – In der Besatzungszeit, als ich mich verstecken mußte und nicht recht wußte wo und wie, fiel mir ihre Wohnung ein.

Viktor öffnete, denn sie war beim Einholen. Auf meine Frage, ob ich eine Nacht hier schlafen könne, erwiderte er: „Suzannes Freunde sind meine."

Er legte sich schlafen, als Susi zurückgekommen war und wir etwas gegessen hatten. Dann saß ich mit Susi zusammen. Wir erzählten uns alles, was wir erlebt hatten, dabei verging unsere Bangigkeit. Erst jetzt erfuhr ich, daß Viktor ihr zweiter Mann war. Ich wiederholte, was er zu mir gesagt hatte, als ich hergekommen war.

„Glaubst du vielleicht", sagte Susi mit unerwarteter Heftigkeit, „Jean hätte dir etwas anderes gesagt? Er hätte dich aufgenommen, auch in der größten Gefahr. – Wir hatten einmal eine kleine Wirtschaft, die hat er Viktors Genossen überlassen. Die Feuerkreuzler hatten ihm dann alles in Stücke geschlagen; meinst du, das hat ihm was ausgemacht? Meinst du, er hätte sich nur mit einem Wort beschwert? Nachher, als wir allein waren? – Und später, als er einmal beim Servieren hörte, was die Herren im Schilde führten, einen Anschlag nämlich auf die Druckerei, da ist er weggerannt und hat Viktor benachrichtigt. Damals waren viele ohne Arbeit, und Jean hätte durch so was ums Haar seine verloren. Das hat ihm aber nichts ausgemacht. Er war so."

Ich sagte: „Ich hab ja nicht gewußt, daß er Jean hieß, der, mit dem du weg bist von zu Hause. Du hast ihn sicher sehr lieb gehabt." 5

„Ja, sehr", sagte Susi, ihre Heftigkeit war verbraucht. Sie war so still wie früher.

12. Michail Sostschenko: Die Hochzeit

Wir fuhren so früh los, daß die Nacht noch nicht zum Morgen geworden war, und die Dämmerung fand uns im 10 Zug, im halbleeren Wagen. Das Licht war gelöscht, und das Schnarchen unserer zufälligen Reisegefährten machte es uns beiden nur noch gemütlicher.

Shenja und ich fühlten uns wie Flüchtlinge, dabei waren wir das eigentlich auch. Wir waren aus der Stadt geflohen, 15 ohne jemandem ein Wort zu sagen, hatten Seminare, Angehörige, Studienkollegen hinter uns gelassen. Unsere Flucht sollte eine Woche dauern, sie führte in ein zufälliges Erholungsheim, und ihr Zweck war wichtig genug – wir wollten unsere Hochzeit feiern. 20

„Und unsere Hochzeitsreise machen", fügte sie betont hinzu. Vor uns lag nichts Sicheres: kein Zimmer, keine Anstellung, kein Geld. Wir waren einfach zwei Studenten: Er hatte das Studium fast beendet und sollte dann weit wegfahren, sie war noch im ersten Studienjahr. Trotzdem 25 hatten wir beschlossen, die Hochzeit zu feiern, darum saßen wir jetzt im Zug.

In meiner Tasche steckten zwei Einweisungsscheine zu sieben Tagen für das weitab gelegene Erholungsheim auf dem ehemaligen Besitz der Grafen Polowzew bei Lgow. 30 Wir hofften zuversichtlich, dort keine Bekannten zu treffen, zumal es Winter war und das Heim so weit weg lag...

Und dann gab es noch eine Überlegung, die ich nicht vorzeitig zur Sprache bringen mochte. Wir wollten im Erholungsheim ein Zweibettzimmer haben, aber wir hatten 35 keinen Beweis, daß wir verheiratet waren, denn wir... waren nicht verheiratet.

Ich hatte keine Lust gehabt, am wichtigsten Tag meines Lebens mit dem geliebten Wesen zum Standesamt zu gehen und von einer gleichgültigen Person meine Gefühle registrieren zu lassen. Auch eine Gästeschar, ein Hochzeitsabend nebst Fresserei und dem unvermeidlichen Trinken, das „Küssen!"-Gerufe und das Tanzen – dieses ganze Zurschaustellen unseres jungen Bundes – war mir zuwider. Ich finde, ein Ereignis wie eine Hochzeit sollte sehr still und nur zu zweit begangen werden.

Sie werden mir vielleicht beipflichten, wenn ich sage, daß man sich im späteren Leben nicht an den hektischen Tag der standesamtlichen Trauung erinnert, nicht an den Ansturm Verwandter und Fremder, nicht an Gewimmel und Gelage, sondern an ganz andere Dinge – einen Blick, in dem sich ein Gefühl spiegelte, vielleicht ein zartes „Ja" oder einfach eine Haarsträhne, die dir auf die Hand fiel, als du sie zum erstenmal linkisch umarmtest.

Über Geschmack läßt sich nicht streiten, ich jedenfalls wollte unsere Hochzeit nur zu zweit feiern.

Im Zug beschlossen wir, dem Heimleiter zu sagen, wir seien schon lange verheiratet, ein Jahr etwa, und hätten zusammen eine Woche Urlaub genommen. Den wollten wir in seinem Hause in einem Zweibettzimmer angenehm und geruhsam verbringen.

„Du darfst nur nicht so gucken, wie du mich jetzt anguckst, sonst weiß er gleich, daß wir nicht verheiratet sind."

„Aber warum kann ein alter Ehemann nicht in seine alte Ehefrau verliebt sein, selbst wenn sie schon ziemlich lange verheiratet sind?"

„Na schön! Aber mit dem Heimleiter sprich du lieber. Meine Mutter hat mir oft genug gesagt, man sieht es mir an der Nasenspitze an, wenn ich lüge."

So wurde es dann beschlossen. Ich war ein wenig in Sorge, denn man würde ja meinen Paß verlangen, und darin fehlte die Bemerkung „verheiratet", aber andere Eindrücke lenkten mich von solch düsteren Gedanken ab.

Wir fuhren hinein in das herrliche Land voller Schnee und Sonne. Der Zug hielt auf der kleinen Station, ließ uns aussteigen und eilte weiter, und sein schneeweißer Rauch zerflatterte über dem dunkelgrünen Nadelwald. Auf der Station waren wir mutterseelenallein, und nur ein Schild am Weg, der in den Wald führte, sagte uns, wo wir lang mußten. Wir folgten diesem wunderschönen Weg, wo uns mächtige Tannen, mit weißen Kissen belegt, empfingen und das Wunder des Waldes, der Specht, einen Gruß hämmerte. Die Sonne lachte in jedem Schneeflöckchen, und von den Bäumen flogen uns weiße Bäuschchen entgegen. Zwischen den Baumstämmen war der zugefrorene Fluß zu sehen, und wenn das Eis plötzlich gleißte, war uns, als lächelte er uns zu...

Auf einer weißen Lichtung schrieb ich mit riesigen Buchstaben unsere Initialen in den Schnee, und Shenja setzte ihre Unterschrift darunter, dabei fiel sie hin und war ganz zerzaust. Ihr Gesicht sah rosig aus vom Laufen, von der Sonne und den Küssen. Ja, es war ein wunderschöner Weg: ich bin viele Wege in meinem Leben gegangen, aber einen solchen nie wieder.

Das alte Haus war schön, und der Heimleiter entpuppte sich als ein prachtvoller Kerl, und er bezweifelte mein Geflunker nicht im mindesten, obwohl Shenja in diesem Moment wie ein unartiges Schulmädchen aussah. Er kontrollierte unsere Pässe nicht, sondern gab uns voll Herzlichkeit und Großzügigkeit ein abgelegenes Zimmer in einem der Seitengebäude. „Nur eine Vorschrift haben wir hier, liebe Genossen: Jeder muß sich einer sanitären Behandlung unterziehen. Begeben Sie sich also in die Wasserkur und machen Sie sich mit der lieben Tante Dunja bekannt. Sie wird Sie behandeln. Hinterher kommen Sie in den Speiseraum und in Ihr Zimmer."

Wir beide, glücklich und sehr aufgeregt, liefen zur Wasserkur. Ja, lieber Leser, wir waren höchlich aufgeregt, denn ich muß Ihnen gestehen, dieses Zimmerchen im Seitenflügel, für das ich die Einweisung in der Hand hielt, war in unserer jungen Liebesgeschichte das erste gemeinsame Dach überm Kopf.

Eine kleine Tür führte zur Wasserkur, vom Flur gelangte man in winzige Umkleidekabinen, dann in einen großen Raum, in dessen Mitte ein Pult mit komplizierten Steuereinrichtungen, Schaltern und Wasserhähnen stand. Die Wand dem Pult gegenüber war gekachelt. Keine Menschenseele zu sehen. Tante Dunja glänzte durch Abwesenheit, und nur die Sonne, die sich lustig in all den glänzenden Nickelteilen spiegelte, war hier lebendig. Aber für uns war das ein neuer Anlaß zur Heiterkeit. Wir wirbelten im Walzer über den nassen Fußboden, schlüpften beide in eine der Zellen, und eben wollte ich, das mächtige Strahlrohr in der Hand, das Wasser andrehen, da ertönte ein Ruf.

Eine bejahrte Frau stand an der Schwelle und rief uns gutmütig zu: „In Sachen dürft ihr hier nicht rein! Los, fix in die Kabinen, alles ausziehen! Ich nehme euch gleich dran."

Ihre Miene war die eines Kommandeurs; sie gehörte zu den Frauen, von denen man sagt, sie hätten das „Befehlen in der Stimme".

Ein wenig verlegen von der unerwarteten Wendung der Dinge, gingen wir uns ausziehen, ich in die eine Kabine, Shenja in die andere. Wir hörten Tante Dunja ungeduldig rufen: „Hört zu, Kinderchens, wir sind hier unter uns, und ich hab's eilig. Muß meinen Enkel vom Kindergarten abholen. Zieht euch also rasch aus, ich nehm euch flink unter den Strahl, am besten gleich beide zusammen, denn die Zeit drängt."

Was war das für ein mörderisches Schweigen in Shenjas Kabine? Endlich verlegenes Flüstern: „Ich komm nicht raus. Sag ihr alles, dieser Verrückten..."

Ich antwortete mit einem Argument, das mir unwiderleglich schien. „Aber wenn wir das sagen, nehmen sie uns das Zimmer weg und bringen uns in Mehrbettzimmern unter. Shenja, ich bitte dich!

„Kommt nicht in Frage!"

Ich fand allmählich Geschmack an der spaßigen Situation. Lachend bestand ich auf dem gemeinsamen Bad. Die arme Shenja war den Tränen nahe. Aber Tante Dunjas Stimme schallte immer fordernder in alle Winkel des Wasserkurraums. Ich entschloß mich, allein hinauszugehen,

steckte mir die Finger in die Ohren, um das klägliche
Flüstern nicht zu hören, und lief über den Lattenrost in den
nickelblinkenden Raum.

Tante Dunja, groß und fröhlich, saß jetzt mit einer
Gummischürze am Pult mitten im Raum. Sie empfing mich
mit triumphierendem Lachen; nachdem sie ihren Stuhl
hinterm Pult ein paarmal zurechtgerückt hatte wie ein
Pianist seinen Hocker, ergriff sie mit fester Hand das
mächtige Strahlrohr, und im nächsten Moment war ich
betäubt, geblendet, von Kopf bis Fuß umtost von dem
starken frischen Strahl.

„Wo ist denn das Frauchen? He, du junge Frau, mach
schnell", dröhnte ihre Stimme. „Mann und Frau, was gibt's
da zu genieren! Und vor mir braucht sich keiner zu schämen. Ich bin geschlechtslos, ich wasche Männer und Frauen
gleichermaßen. Komm schon!"

Schweigen, dann, nach einem weiteren ungeduldigen
Ruf, sah ich durch die Wasserstrahlen, die erbarmungslos
auf mich einschlugen, wie zaghaft die Tür aufging und mein
liebes Mädchen, vor Scham vergehend, ein schmales heim-
eigenes Handtuch vorhaltend, die Schwelle überschritt.

Oh, mein teures geliebtes Mädchen, wie war es schön!
Die Wasserstrahlen schlugen gleichsam erfreut auf sie ein,
umströmten sie von Kopf bis Fuß, hüllten sie in leichten
Dampf, sie glänzte darin wie ein Sonnenstrahl. Nun wandte
sich das Wasser wieder mir zu, und so vollführte es, uns
abwechselnd blendend und betäubend, wieder und wieder
seinen fröhlichen Tanz um uns herum. Aber selbst durch
die Wasserströme hindurch sah ich Shenjas Blick, verlegen
und vertrauensvoll, unter den ungehorsamen rötlichen Lok-
ken, die ihr ins Gesicht fielen.

Nein, ich glaube nicht an Gott, aber ich erinnere mich,
daß meine Hände sich falteten wie zum Gebet und meine
Seele sich auftat für alles Gute und Schöne.

Tante Dunja sang laut hinterm Pult, die mächtigen warmen Ströme flossen und flossen, sie netzten und weihten
uns beide...

Ja, es war eine wunderschöne Hochzeit.

Ich muß gestehen, aus unserem gemeinsamen Leben wurde nichts. Böse Menschen haben uns längst auseinandergebracht, und ich selber hatte auch ein gut Teil schuld...

Andere Frauen haben sich zwischen mich und Shenjas Bild geschoben, und ich vergesse allmählich das schöne blasse Gesicht unter den rötlichen Locken. Aber wenn Verzweiflung mir zusetzt, wenn mir der Schlamm schon fast bis an den Hals steht, wenn es draußen regnet und die Seele zu verzagen droht, dann brauche ich nur eines zu tun, um zu begreifen, daß das Leben trotz allem schön ist: die Erinnerung wachrufen an den Morgen in der Wasserkur, den goldenen Glanz in den mächtigen Fluten aus dem Strahlrohr und die sonnenfunkelnden Wassertropfen, die über ihre weiße Haut liefen...

II Theoretische Texte

1. Alfred Adler: Das Verhältnis der Geschlechter (Auszüge)

DIE SPANNUNG ZWISCHEN DEN GESCHLECHTERN. Was allen diesen Erscheinungen zugrunde liegt, sind Irrwege unserer Kultur. Ist diese einmal von einem Vorurteil durchsetzt, dann greift es überall durch und ist überall wiederzufinden. So stört auch das Vorurteil von der Minderwertigkeit der Frau und die damit zusammenhängende Überheblichkeit des Mannes fortwährend die Harmonie der Geschlechter. Die Folge ist eine unerhörte Spannung, die insbesondere auch in alle Liebesbeziehungen eindringt und alle Glücksmöglichkeiten ständig bedroht und vielfach vernichtet. Unser gesamtes Liebesleben wird durch diese Spannung vergiftet, es verdorrt und verödet. Hier liegt der Grund dafür, daß man so selten eine harmonische Ehe findet und daß Kinder in der Meinung aufwachsen, die Ehe sei etwas ungemein Schwieriges und Gefährliches. Vorurteile wie das oben beschriebene und Gedankengänge ähnlicher Art verhindern Kinder vielfach daran, zu einem wahren Verständnis des Lebens zu gelangen. Man denke bloß an jene zahlreichen Mädchen, die die Ehe nur als eine Art Notausgang betrachten, an jene Männer und Frauen, die in ihr nur ein notwendiges Übel erblicken. Die Schwierigkeiten, die aus dieser Spannung zwischen den Geschlechtern erwachsen sind, sind heute ins Riesenhafte gewachsen, sie sind um so größer, je stärker beim Mädchen von Kindheit an der Hang war, sich gegen die ihr aufgezwungene Rolle aufzulehnen, bzw. je stärker im Manne das Verlangen ist, eine privilegierte[1] Rolle zu spielen, trotz aller Unlogik, die darin steckt.

[. . .] Das zwischen den Geschlechtern herrschende Miß-

1 privilegieren: jemandem eine Sonderstellung einräumen.

trauen untergräbt jede Vertraulichkeit, und so leidet darunter die ganze Menschheit. Das übertriebene Ideal der Männlichkeit bedeutet eine Forderung, einen fortwährenden Anreiz, eine ewige Unruhe, wobei nichts anderes heraus-
5 kommt als Forderungen der Eitelkeit, Selbstbereicherung und eine privilegierte Stellung, was den natürlichen Bedingungen des menschlichen Zusammenlebens widerspricht. Wir haben keinen Grund, den bisherigen Zielen der Frauenbewegung nach Freiheit und Gleichberechtigung entge-
10 genzutreten, wir müssen sie vielmehr tatkräftig unterstützen, weil schließlich Glück und Lebensfreude der ganzen Menschheit davon abhängen, daß Bedingungen geschaffen werden, die es der Frau ermöglichen, sich mit der Frauenrolle auszusöhnen, sowie davon, wie der Mann die Frage
15 seiner Beziehung zur Frau zu lösen imstande ist. [...]

2. Theodor W. Adorno: Aphorismus

Geliebt wirst du einzig, wo du schwach dich zeigen darfst, ohne Stärke zu provozieren.

3. Johann Peter Eckermann: 20 Gespräche mit Goethe

Freitag, den 2. Januar 1824

Bei Goethe zu Tisch, in heiteren Gesprächen. Eine junge Schönheit der weimarischen Gesellschaft kam zur Erwähnung, wobei einer der Anwesenden bemerkte, daß er fast
25 auf dem Punkt stehe sie zu lieben, obgleich ihr Verstand nicht eben glänzend zu nennen.

„Pah!" sagte Goethe lachend, „als ob die Liebe etwas mit dem Verstande zu tun hätte! Wir lieben an einem jungen Frauenzimmer ganz andere Dinge als den Ver-
30 stand. Wir lieben an ihr das Schöne, das Jugendliche, das Neckische, das Zutrauliche, den Charakter, ihre Fehler,

ihre Kapricen[2] und Gott weiß was alles Unaussprechliche sonst; aber wir lieben nicht ihren Verstand. Ihren Verstand *achten* wir, wenn er glänzend ist, und ein Mädchen kann dadurch in unseren Augen unendlich an Wert gewinnen. Auch mag der Verstand gut sein, uns zu fesseln, wenn wir 5 bereits lieben; allein der Verstand ist nicht dasjenige, was fähig wäre, uns zu entzünden und eine Leidenschaft zu erwecken."

4. Max Frisch: Eifersucht

Wenn der Unselige, der mich gestern besucht hat, ein 10 Mann, dessen Geliebte es mit einem andern versucht, wenn er ganz sicher sein könnte, daß die Gespräche eines andern, die Küsse eines andern, die zärtlichen Einfälle eines andern, die Umarmung eines andern niemals an die seinen heranreichen, wäre er nicht etwas gelassener? 15

Eifersucht als Angst vor dem Vergleich.

Was hätte ich sagen können? Eine Trauer kann man teilen, eine Eifersucht nicht. Ich höre zu und denke: Was willst du eigentlich? Du erhebst Anspruch auf einen Sieg ohne Wettstreit, verzweifelt, daß es überhaupt zum Wettstreit kommt. 20 Du redest von Treue, weißt aber genau, daß du nicht ihre Treue willst, sondern ihre Liebe. Du redest von Betrug, und dabei schreibt sie ganz offen, ganz ehrlich, daß sie mit Ihm verreist ist – Was, mein Freund, willst du eigentlich?

Man will geliebt sein. 25

Nur in der Eifersucht vergessen wir zuweilen, daß Liebe nicht zu fordern ist, daß auch unsere eigene Liebe, oder was wir so nennen, aufhört, ernsthaft zu sein, sobald wir daraus einen Anspruch ableiten ...

2 Kapricen: Launen.

5. Erich Fromm: Ist Lieben eine Kunst? (Auszüge)

Ist Lieben eine Kunst? Wenn es das ist, dann wird von dem, der diese Kunst beherrschen will, verlangt, daß er etwas weiß und daß er keine Mühe scheut. Oder ist die 5 Liebe nur eine angenehme Empfindung, die man rein zufällig erfährt, etwas, was einem sozusagen „in den Schoß fällt", wenn man Glück hat? [...]

Nicht als ob man meinte, die Liebe sei nicht wichtig. Die Menschen hungern geradezu danach; sie sehen sich unzäh- 10 lige Filme an, die von glücklichen oder unglücklichen Liebesgeschichten handeln, sie hören sich Hunderte von kitschigen Liebesliedern an – aber kaum einer nimmt an, daß man etwas tun muß, wenn man es lernen will zu lieben.

Diese merkwürdige Einstellung beruht auf verschiedenen 15 Voraussetzungen, die einzeln oder auch gemeinsam dazu beitragen, daß sie sich am Leben halten kann. Die meisten Menschen sehen das Problem der Liebe in erster Linie als das Problem, *selbst geliebt zu werden,* statt *zu lieben* und lieben zu können. Daher geht es für sie nur darum, wie man 20 es erreicht, geliebt zu werden, wie man liebenswert wird. Um zu diesem Ziel zu gelangen, schlagen sie verschiedene Wege ein. Der eine, besonders von Männern verfolgte Weg ist der, erfolgreich, so mächtig und reich zu sein, wie es die eigene gesellschaftliche Stellung möglich macht. Ein ande- 25 rer, besonders von Frauen bevorzugter Weg ist der, durch Kosmetik, schöne Kleider und dergleichen möglichst attraktiv zu sein. Andere Mittel, die sowohl von Männern als auch von Frauen angewandt werden, sind angenehme Manieren, interessante Unterhaltung, Hilfsbereitschaft, 30 Bescheidenheit und Gutmütigkeit. Viele dieser Mittel, sich liebenswert zu machen, sind die gleichen wie die, deren man sich bedient, um Erfolg zu haben, um „Freunde zu gewinnen". Tatsächlich verstehen ja die meisten Menschen unseres Kulturkreises unter Liebenswürdigkeit eine 35 Mischung aus Beliebtheit und Sex-Appeal.

Hinter der Einstellung, daß man nichts lernen müsse, um lieben zu können, steckt zweitens die Annahme, es gehe bei dem Problem der Liebe um ein *Objekt* und nicht um eine

Fähigkeit. Viele Menschen meinen, *zu lieben* sei ganz einfach, schwierig sei es dagegen, den richtigen Partner zu finden, den man selbst lieben könne und von dem man geliebt werde. [...]

Objekte der Liebe 5

Liebe ist nicht in erster Linie eine Bindung an eine bestimmte Person. Sie ist eine *Haltung,* eine *Charakter-Orientierung,* welche die Bezogenheit eines Menschen zur Welt als Ganzem und nicht nur zu einem einzigen „Objekt" der Liebe bestimmt. Wenn jemand nur eine einzige andere 10 Person liebt und ihm alle übrigen Mitmenschen gleichgültig sind, dann handelt es sich bei seiner Liebe nicht um Liebe, sondern um eine symbiotische Bindung oder um einen erweiterten Egoismus. Trotzdem glauben die meisten Menschen, Liebe komme erst durch ein Objekt zustande und 15 nicht aufgrund einer Fähigkeit. Sie bilden sich tatsächlich ein, es sei ein Beweis für die Intensität der Liebe, wenn sie außer der „geliebten" Person niemanden lieben. Es ist dies der gleiche Irrtum, den wir bereits an anderer Stelle erwähnt haben. Weil man nicht erkennt, daß die Liebe ein 20 Tätigsein, eine Kraft der Seele ist, meint man, man brauche nur das richtige Objekt dafür zu finden und alles andere gehe dann von selbst. Man könnte diese Einstellung mit der eines Menschen vergleichen, der gern malen möchte und der, anstatt diese Kunst zu erlernen, behauptet, er brauche 25 nur auf das richtige Objekt zu warten, und wenn er es gefunden habe, werde er wunderbar malen können. Wenn ich einen Menschen wahrhaft liebe, so liebe ich alle Menschen, so liebe ich die Welt, so liebe ich das Leben. Wenn ich zu einem anderen sagen kann: „Ich liebe dich", muß ich 30 auch sagen können: „Ich liebe in dir auch alle anderen, ich liebe durch dich die ganze Welt, ich liebe in dir auch mich selbst."

Wenn ich sage, die Liebe sei eine Orientierung, die sich auf alle und nicht nur auf einen einzigen Menschen bezieht, 35 so heißt das jedoch nicht, daß es zwischen den verschiedenen Arten der Liebe keine Unterschiede gibt, die jeweils von der Art des geliebten Objekts abhängen. [...]

Erotische Liebe

Nächstenliebe ist Liebe zwischen Gleichen; Mutterliebe ist Liebe zum Hilflosen. So verschieden beide voneinander sind, ihnen ist doch gemein, daß sie sich ihrem Wesen nach nicht auf eine einzige Person beschränken. Wenn ich meinen Nächsten liebe, liebe ich alle meine Nächsten; wenn ich mein Kind liebe, liebe ich alle meine Kinder, nein, ich liebe sogar darüber hinaus alle Kinder, alle, die meiner Hilfe bedürfen. Im Gegensatz zu diesen beiden Arten von Liebe steht die *erotische Liebe*. Hier handelt es sich um das Verlangen nach vollkommener Vereinigung, nach der Einheit mit einer anderen Person. Eben aus diesem Grund ist die erotische Liebe exklusiv und nicht universal; aber aus diesem Grund ist sie vielleicht auch die trügerischste Form der Liebe.

Zunächst einmal wird sie oft mit dem explosiven Erlebnis, „sich zu verlieben", verwechselt, mit dem plötzlichen Fallen der Schranken, die bis zu diesem Augenblick zwischen zwei Fremden bestanden. Aber wie bereits dargelegt, ist das Erlebnis einer plötzlichen Intimität seinem Wesen nach kurzlebig. Nachdem der Fremde für mich zu einem intimen Bekannten geworden ist, sind zwischen uns keine Schranken mehr zu überwinden, und ich brauche mich nicht mehr darum zu bemühen, ihm näherzukommen. Man lernt den „Geliebten" ebenso genau kennen wie sich selbst; oder vielleicht sollte man besser sagen, ebensowenig wie sich selbst. Wenn es mehr Tiefe in der Erfahrung eines anderen Menschen gäbe, wenn man die Unbegrenztheit seiner Persönlichkeit erleben könnte, würde einem der andere nie so vertraut – und das Wunder der Überwindung der Schranken könnte sich jeden Tag aufs neue ereignen. Aber für die meisten ist die eigene Person genau wie die des anderen schnell ergründet und ausgeschöpft. Sie erreichen Intimität vor allem durch sexuelle Vereinigung. Da sie das Getrenntsein von anderen in erster Linie als körperliches Getrenntsein erfahren, bedeutet die körperliche Vereinigung für sie die Überwindung des Getrenntseins.

Darüber hinaus gibt es noch andere Faktoren, die viele für die Überwindung des Abgetrenntseins halten. Man glaubt, man könne es dadurch überwinden, daß man über sein eigenes persönliches Leben, seine Hoffnungen und Ängste spricht, daß man sich dem anderen von seiner kindlichen oder kindischen Seite zeigt oder daß man sich um ein gemeinsames Interesse an der Welt bemüht. Selbst dem anderen seinen Ärger, seinen Haß und seine völlige Hemmungslosigkeit vor Augen zu führen, wird für Intimität gehalten, was die pervertierte Anziehung erklären mag, welche Ehepartner häufig aufeinander ausüben, die offenbar nur intim sind, wenn sie zusammen im Bett liegen oder wenn sie ihrem gegenseitigen Haß und ihrer Wut aufeinander freien Lauf lassen. Aber alle diese Arten von „Nähe" verschwinden mit der Zeit mehr und mehr. Die Folge ist, daß man nun bei einem anderen Menschen, bei einem neuen Fremden Liebe sucht. Wiederum verwandelt sich der Fremde in einen Menschen, mit dem man „intim" ist, wiederum wird das Sichverlieben als ein anregendes, intensives Erlebnis empfunden, und wiederum flaut es allmählich mehr und mehr ab und endet mit dem Wunsch nach einer neuen Eroberung, nach einer neuen Liebe – immer in der Illusion, daß die neue Liebe ganz anders sein wird als die früheren Liebesbeziehungen. Zu diesen Illusionen trägt die trügerische Eigenart des sexuellen Begehrens weitgehend bei.

Die sexuelle Begierde strebt nach Vereinigung und ist keineswegs nur ein körperliches Verlangen, keineswegs nur die Lösung einer quälenden Spannung. Aber die sexuelle Begierde kann auch durch die Angst des Alleinseins, durch den Wunsch, zu erobern oder sich erobern zu lassen, durch Eitelkeit, durch den Wunsch, zu verletzen oder sogar zu zerstören, ebenso stimuliert[3] werden wie durch Liebe. Es scheint so zu sein, daß die sexuelle Begierde sich leicht mit allen möglichen starken Emotionen vermischt und durch diese genauso stimuliert werden kann wie durch die Liebe. Da das sexuelle Begehren von den meisten mit der Idee der Liebe in Verbindung gebracht wird, werden sie leicht zu dem Irrtum verführt, sie liebten einander, wenn sie sich

3 stimulieren: anregen, anreizen

körperlich begehren. Liebe kann zu dem Wunsch führen, sich körperlich zu vereinigen, in diesem Fall ist die körperliche Beziehung ohne Gier, ohne den Wunsch, zu erobern oder sich erobern zu lassen, sondern sie ist voll Zärtlichkeit. 5 Wenn dagegen das Verlangen nach körperlicher Vereinigung nicht von Liebe stimuliert wird, wenn die erotische Liebe nicht auch Liebe zum Nächsten ist, dann führt sie niemals zu einer Einheit, die mehr wäre als eine orgiastische[4], vorübergehende Vereinigung. Die sexuelle Anzie- 10 hung erzeugt für den Augenblick die Illusion der Einheit, aber ohne Liebe läßt diese „Vereinigung" Fremde einander ebenso fremd bleiben, wie sie es vorher waren. Manchmal schämen sie sich dann voreinander, oder sie hassen sich sogar, weil sie, wenn die Illusion vorüber ist, ihre Fremd- 15 heit nur noch deutlicher empfinden als zuvor.

6. Gabriel Laub: Sitz der Liebe

Wir wissen alle, daß der Sitz der Liebe im Herzen ist. In dem modernsten Deutschen Wörterbuch steht es: „Herz .../fig./Sitz der Seele, der Gefühle ..." So ähnlich kann 20 man das in assyrischen Tontafeln und ägyptischen Papyri lesen. Es gab zwar Völker, die den Sitz der Liebe in der Leber finden wollten; es sind auch viele erfahrene Frauen, die davon überzeugt sind, daß die Liebe ihrer Männer ihren Sitz im Magen hat, und erfahrene Männer, die den Sitz der 25 Liebe ihrer Frauen im eigenen Portemonnaie festgestellt haben. Die Herzhypothese ist aber immer noch die allgemeinste.

Warum wurde ausgerechnet dieser kleine Muskel, der sowie schon viel schwere technische Arbeit in unserem 30 Körper hat, für diese hohe Aufgabe ausgewählt? Wahrscheinlich aus den gleichen Gründen, aus denen man den Sitz für Glück und Wonne im Himmel eingerichtet hat – weil er gut versteckt und unsichtbar ist.

[4] orgiastisch: wild, zügellos.

In früheren Zeiten glaubte man, daß nicht nur die Liebe im Herzen wohnt, sondern zum Beispiel auch das Wissen. Vor dreitausend Jahren hatte der Ägypter Neb-maat-Renekht, der ein hoher Beamter und trotzdem ein Denker war (damals war es möglich), in seinem Papyrus geschrieben: „Nimm Dir die Bücher ins Herz, Du sollst Dich vor aller Arbeit hüten können und zu einem hervorragenden Beamten werden."

Seit dieser Zeit sind das Wissen und viele Eigenschaften und Tugenden aus dem Herzen in den Kopf übergesiedelt. Nur die Liebe, die Güte, die Freundschaft und die Tapferkeit sind dort geblieben. Ist es nicht auffallend, daß man eben Liebe, Güte, Freundschaft und Tapferkeit so lange wie möglich so fern wie möglich vom Sitz der Vernunft halten will?

Die chirurgischen Experimente Dr. Christian Barnards und seiner Kollegen haben aber die ganze Sache zweifelhaft gemacht. Es hat sich erwiesen, daß man die Liebe nicht mit ihrem vermeintlichen Käfig zusammen von einem Menschenkörper in einen anderen verlegen kann. Philipp Blaiberg hatte ein fremdes Herz und liebte seine Frau weiter – Christian Barnard, so wie Tausende andere, die ihr eigenes Herz haben, ließ sich scheiden.

Man muß also für die Liebe einen neuen Sitz suchen. Alle menschlichen Organe haben genug mit ihren eigenen Funktionen zu tun. Übrig bleibt nur das Gehirn – das Organ, das die Menschen am wenigsten anstrengen.

Vielleicht wird es gar nicht so schlimm sein, wenn sich die Menschen daran gewöhnen, daß die Liebe durch den Kopf gehen muß. Und für den Kopf ist das auch nicht gefährlich: Nur sehr junge Leute und unverbesserliche Romantiker dürfen glauben, daß der Mensch so viel Liebe besitzt, daß sie im Gehirn keinen Raum für andere Dinge frei lassen werde. Der Kopf, wenn man ihn benutzen will, vermag schon so manches zu schaffen. Und, last not least, es kann nicht schaden, wenn man die Liebe ein bißchen weiter von den Genitalien entfernt.

Für die Poeten wird das allerdings eine Katastrophe bedeuten. Viele zuverlässige Reime wie „Herz – Schmerz" oder „Herz – März“ gehen verloren. „Denken“ und „Lieben“ reimt sich nicht gut. Man muß befürchten, daß die Lyriker in eine schwere Krise geraten werden, wenn sie anstatt aus vollem Herzen, wie bis jetzt, aus vollem Kopf 5 schreiben müssen.

7. **Martin Luther: Tischreden** (Auszüge)

„Die höchste Gnade Gottes ists, wenn im Ehestande Eheleute einander herzlich, stets für und für liebhaben. Die erste Liebe ist fruchtbar und heftig, damit wir geblendet 10 werden und wie die Trunkenen hinan gehen. Wenn wir denn die Trunkenheit haben ausgeschlafen, als dann so bleibt in Gottfürchtigen die rechtschaffene Liebe, die Gottlosen aber haben den Reuel.“

„Die Ehe ist eine schöne herrliche Gabe und Ordnung, 15 bestätiget mit zweierlei Liebe; eine, die ist natürlich und gut, die ander unordentlich und böse. Doch vertilget der Teufel, der ein Feind und Verstörer der Ehe ist, nicht allein die unordentliche, sondern auch die natürliche Liebe unter Eheleuten. Darum haben die Alten ihre Kinder fein unter-20 weiset und gelehret: Liebe Tochter, halt dich also gegen deinen Mann, daß er fröhlich wird, wenn er auf dem Wiederwege des Hauses Spitzen siehet. Und wenn der Mann mit seinem Weibe also lebet und umgehet, daß sie ihn nicht gerne siehet wegziehen, und fröhlich wird, so er 25 heimkommt, da stehets wohl.“

Doct. M. zog zu einer Fürstin Anno 1542 und wollte versuchen, ob er sie wieder mit ihrem Herrn versöhnen könnte. Da er nun wieder heimkam, sprach er: „Lieber Gott, was kostets Mühe und Arbeit in casibus matrimoniali-30 bus[5]! Was kostets Arbeit, daß man Eheleute zusammen bringe! Darnach hats viel großer Mühe, daß man sie beiein-

5 in casibus matrimonialibus: lat. In Sachen Ehe.

ander behalte. Adams Fall hat die menschliche Natur also gar sehr beschmitzt, verderbet und vergiftet, daß sie aufs Allerunbeständigste ist, läuft hin und wieder wie Quecksilber. O, wie wohl stehets, wenn Eheleute miteinander zu Tische und Bette gehen! Ob sie gleich zuweilen schnurren und murren, das muß nicht schaden; es gehet in der Ehe nicht allzeit schnurgleich zu, ist ein zufällig Ding; deß muß man sich ergeben!

8. Theodor Reik: Emotionale Bereitschaft (Auszüge)

[...] Sich zu verlieben ist eine emotionale Leistung, die eine lange Geschichte hinter sich hat, ehe sie erfüllt wird. Verliebt zu sein ist jedenfalls auffallender als die vorangegangenen Prozesse, die im dunklen Untergrund der menschlichen Seele vor sich gehen und die Entwicklung der Liebe ermöglichen.

Um die Antwort auf die Frage, warum die Liebe notwendig wurde, zu finden, müssen wir zunächst die emotionale Situation desjenigen untersuchen, der zwar noch kein Liebender ist, aber ein Liebender sein wird. Es muß bestimmte und definierbare Voraussetzungen in diesem Menschen geben, die ihn zum Lieben bereit sein lassen. In welcher psychischen Situation befand sich Klaus, ehe er sich in Renate verliebte? Die Frage, wie ein zukünftiger Liebender aussehen mag, klingt vielleicht genauso unvernünftig wie die Frage des kleinen Mädchens: „Mutter, wie sieht ein Dieb aus?" Das ist schwer zu sagen: Er kann groß oder klein, dick oder dünn, dunkel oder blond sein. Im selben Sinne kann man auch nicht sagen, was Hinz und Kunz für Leute waren, ehe sie sich verliebten.

Trotzdem kann man die emotionalen Eigenschaften in allgemeiner Form beschreiben. Klaus (oder Hinz und Kunz) sind bewegt von einem gewissen Gefühl der Sehnsucht, der Unruhe und der Unzufriedenheit. Klaus muß sich dieses Zustandes nicht bewußt sein; und wenn er es wäre, würde er vielleicht viele Gründe dafür anführen. Er könnte sagen, er sei mit seiner Arbeit oder mit seiner häuslichen Situation unzufrieden. Wenn er sehr grüblerisch veranlagt wäre, würde er vielleicht entdecken, daß die Wurzel des Übels nicht so sehr in den äußeren Umständen als in einer Unzufriedenheit mit sich selber läge. Jedesmal, wenn ich im Laufe meiner Praxis in die emotionale Situation eindringen konnte, fand ich, daß die romantische Liebe immer von der Unzufriedenheit mit sich selber gefördert wurde.

Die Unruhe und die Unzufriedenheit, die man beobachten kann, ehe die Liebe zum Vorschein kommt, sind Konstanten dieser psychologischen Situation. Sie bilden das eine Ende des Fadens, der bis in die Mitte des Problems führt. Diese Unzufriedenheit ist ein Merkmal, das allen Personen gemeinsam ist, wie verschieden auch immer die Situation gewesen sein mag, in der sich die Menschen befanden, ehe sie sich verliebten. Selbstverständlich gibt es alle Variationen in der Intensität dieser Stimmung, angefangen von einem leichten Unbehagen bis zu drängender Not, von einer kaum bemerkbaren Unruhe bis zu emotionalen Katastrophen. [...]

Ehe die romantische Liebe in ihr Leben kam, war ihre Lage kritisch und hatte den Charakter einer inneren Krise. Nun taucht die Frage der Bewertung auf, weil das Problem, das alle Menschen zu lösen haben, in der Selbstbewertung besteht, obwohl sie sich dessen meist nicht bewußt sind. Warum sind diese Menschen mit sich selbst unzufrieden? Sie kommen sich unbewußt betrogen und unzulänglich vor, weil sie Vergleiche anstellen zwischen dem, was sie sind, und dem, was sie sein möchten; zwischen dem, was sie leisten, und dem, was sie leisten möchten. Sie fühlen sich gehindert, weil sie unbewußt fürchten, daß sie versagt haben. Sie sehen, daß sie unfähig sind, ihre Erwartungen von sich selbst zu erfüllen.

[...] Dieses Mißtrauen gegen sich selbst, dieses Gefühl der persönlichen Unzulänglichkeit, dieser Wunsch nach einem besseren Selbst sind notwendige Voraussetzungen für die Entwicklung der Liebe, die ein Versuch ist, die Selbstachtung wiederherzustellen. Warum sollten wir ein anderes und besseres Selbst suchen, wenn wir mit uns selbst zufrieden wären? Die Liebe folgt der Abneigung gegen sich selbst, der Melancholie und manchmal der Verzweiflung. An der Intensität der Liebe können wir die Stärke des Gefühls persönlicher Unzulänglichkeit ermessen.

Die Disharmonie in uns selbst wird von dem unbewußten Vergleich bestimmt zwischen dem Ich, wie es tatsächlich ist, und dem idealen Menschen, der wir sein möchten, der schöner, besser, klüger, mutiger und leistungsfähiger ist als wir. Fast jeder Mensch erfindet während der Kindheit das Bild eines solchen edleren Selbst. Dies Bild nennen wir das Ich-Ideal. Dieses erdachte Selbst, dieser Mensch, der wir nicht sind, aber gerne wären, ist nicht selbstgeschaffen und auch nicht allein das Produkt individueller Phantasie. Es gibt in dem Leben jedes Kindes bestimmte Personen, die das Kind sich als Vorbild nimmt – andere Kinder zum Beispiel, die von Eltern und Lehrern gelobt werden und die im Besitze aller Tugenden zu sein scheinen und die alles erreichen, was dem Betreffenden selbst unmöglich ist. Zu diesen wirklichen Menschen treten noch die Phantasiefiguren hinzu, die das Kind aus Märchen und Kinderbüchern kennt. Diese erdachten Charaktere werden zu Vorbildern, nach denen das Kind oder der Jugendliche seinen eigenen Charakter bilden möchte. Diese Figuren nennen wir die Ich-Vorbilder.

[...] Das Ich-Ideal ist ein Wunschbild unserer selbst. Später wird ein geliebter Mensch diese Rolle übernehmen; er wird die Verwirklichung dieses Ideals im Leben sein. Er ist der Traum eines edleren Selbst, das Wirklichkeit wurde. Er erfüllt in seiner Person das, was wir nicht erreichen konnten. In ihm wird die Phantasie Fleisch. Das Liebesobjekt hat die Eigenschaften, die uns so grausam fehlen; es hat Erfolg, wo wir versagen, und erfüllt die Erwartungen, auf die wir für uns selbst verzichten mußten. Die besondere Art von Heimweh und Sehnsucht, die wir Liebe nennen, setzt die Sehnsucht nach dem idealen Ich fort.

[...] Sich zu verlieben heißt also: ein Bild zu erobern. Das Objekt wird geschaffen, ehe es erscheint; es existierte in der Phantasie, ehe es in der Wirklichkeit auftaucht. Es gibt keine Liebe auf den ersten Blick, weil alles psychologisch vorbereitet war. Sich zu verlieben heißt, dem erdachten Bilde zu begegnen. Dieses Bild bestimmt die Liebeswahl. [...]

Das Traumbild unseres zukünftigen Partners führt ein langes Schattendasein. Jeder von uns hat sich zunächst in die Liebe verliebt. Die Übertragung des idealen Bildes auf das wirkliche Objekt ist, besonders für die Männer, ein einfacher und unkritischer Vorgang. Ein Mädchen, das einen jungen Mann nur einmal gesehen hatte, klagte, daß es nicht unterlassen könne, von ihm am Tage zu träumen. „Ich kenne ihn nicht, ich habe viel zuwenig Anhaltspunkte, um Phantasien über ihn zu haben. Ich bin der Wirklichkeit vorausgeeilt. Vielleicht ist er gar nicht so, wie ich ihn mir denke. Ich möchte ihn gerne wiedersehen, weil ich wissen muß, wie und auf wen ich meine Tagträume lenken soll." Hier haben wir Realismus mitten im romantischen Gefühl. Viele junge Männer wären weniger realistisch, aber für beide Geschlechter existiert das Traumobjekt vor dem wirklichen Objekt, und durch das Vorhandensein dieses Traumes entsteht eine Bereitschaft, ein Wunsch, ihm in der Wirklichkeit zu begegnen, der einem Zustand gleichkommt, in dem der Wunsch zum Vater des Gedankens wird. [...]

9. Fritz Riemann: Die Fähigkeit zu lieben (Auszug)

Es gibt keine Garantien dafür, daß unsere Liebesbereitschaft einem geliebten Wesen gegenüber sich erhalten läßt – wir selbst verändern uns mit der Zeit und der andere auch, und es wird um so schwerer, unsere Liebesbereitschaft zu erhalten, je mehr sie an Äußerlichkeiten und an bestimmte Wunschvorstellungen von einem Du gebunden war. Alle Entwicklungen belasten unser Liebesvermögen, werden zur Forderung, neu und anders zu lieben, oder führen zum Zurücknehmen unserer Liebe. Die romantische Vorstellung einer unwandelbaren, durch nichts gefährdeten Liebe entspricht nicht nur nicht der Wirklichkeit des Lebens, sie wird auch leicht zu einer Erwartung, in der dann schon der Keim der Ent-täuschung liegt – die Liebe ist als Phänomen[6] großartig genug, wir brauchen sie nicht noch romantisch zu idealisieren. 5

So liegt in jeder Liebe die Forderung zur Wandlung: Wie wir das heranwachsende Kind nicht mehr mit der gleichen unbedingten und fraglosen Liebe weiterlieben können wie das Kleinkind; wie sich unsere Liebesfähigkeit mit und an dem Kind weiterentwickeln und reifen, erwachsen werden 10 muß wie das Kind selbst; wie die Kindesliebe von echohaftem Antworten und selbstverständlicher Liebeserwartung reifen muß zur eigenen Liebesbereitschaft, die auch Versagungen und Enttäuschungen überdauert, so muß sich jede Liebe wandeln und reifen, will sie lebendig bestehen- 15 bleiben.

So wird uns die – fast möchte ich sagen – Zumutung deutlich, die allem Lieben auferlegt ist und es so erschwert: Das, was wir ursprünglich lieben an einem anderen, bleibt sich nicht gleich; und nicht genug damit, wir selbst bleiben 20 auch nicht, die wir waren. Daher ist es um vieles leichter, etwas zu lieben, was sich nicht verändert: die Erinnerung, die Vergangenheit, einen Toten oder eine Idee. Darum ist es auch leichter, die Liebe selbst zu lieben, als das Du, denn dann hängt unsere Liebesbereitschaft nur noch von 25 uns selbst ab; und selbst eine unglückliche Liebe ist weniger gefährdet durch die Zeit und durch die Entwicklung des anderen – sie hängt viel mehr von uns selbst ab und kann nur mit uns selbst aufhören. Darum ist es auch leichter, etwas zu lieben, das sich leicht ersetzen läßt durch Ähnli- 30 ches – und etwas oder jemand läßt sich um so leichter durch Ähnliches ersetzen, je weniger tief und individuell bezogen wir geliebt haben. So fordert die Liebe zu etwas Lebendigem von uns, dies Lebendige durch alle seine Entwicklungen und Wandlungen hindurch zu lieben; hierin liegt die 35 Großartigkeit der Liebe, aber auch ihre Gefährdung. Immer werden wir schwanken zwischen dem Wunsch, das,

6 Phänomen: außergewöhnliches, seltenes Ereignis.

was wir lieben, immer tiefer und umfassender zu lieben, und dem entgegengesetzten Wunsch, die Liebe immer wieder an neuen Menschen und in neuen Gestalten zu erleben. Droht der einen Form der Liebe die Gewohnheit
5 und Abstumpfung, so der anderen die Verflachung und Austauschbarkeit.

10. Bertrand Russell: Sexualethik (Auszüge)

Ich würde niemandem, gleich welchen Alters, bei der Erwerbung von Kenntnissen Hindernisse in den Weg
10 legen. Aber im besonderen Fall des sexuellen Wissens gibt es noch viel gewichtigere Argumente dafür als auf den meisten anderen Gebieten. Die Wahrscheinlichkeit, daß sich ein Mensch klug verhält, ist viel geringer, wenn er unwissend ist, als wenn er aufgeklärt wurde, und es ist
15 lächerlich, bei jungen Menschen ein Schuldgefühl hervorzurufen, weil sie für eine wichtige Angelegenheit eine natürliche Neugierde empfinden. Jeder Junge interessiert sich für Eisenbahnen. Angenommen, wir sagten ihm, dieses Interesse sei böse, wir hielten seine Augen verbunden, sooft er
20 in einem Zug oder auf einem Bahnhof wäre, wir erlaubten es nicht, daß in seiner Gegenwart jemals das Wort „Zug" genannt würde, und hielten die Art und Weise, wie er von einem Ort zum andern befördert wird, von einem undurchdringlichen Geheimnis umgeben. Das Ergebnis wäre nicht
25 etwa, daß er sich nun nicht mehr für Züge interessierte; im Gegenteil, sein Interesse wäre größer als je, aber er hätte dabei ein krankhaftes Schuldgefühl, da man ihm gesagt hat, dieses Interesse sei unanständig. Jeder Junge mit lebhafter Intelligenz könnte auf diese Weise mehr oder weniger
30 neurasthenisch[7] werden. Genau das wird aber auf dem Gebiet der Sexualität getan. Da jedoch die Sexualität interessanter ist als die Eisenbahn, sind die Ergebnisse schlimmer. [...]

---

7 neurasthenisch: in nervöser Erschöpfung, nervenschwach.

Wenn ich sage, daß man Kinder über sexuelle Dinge aufklären soll, so meine ich damit nicht, daß man ihnen nur die nackten physiologischen[8] Tatsachen sagen soll; man soll ihnen alles sagen, was sie wissen wollen. Man sollte nicht versuchen, die Erwachsenen tugendhafter darzustellen, als sie wirklich sind, oder den Eindruck hervorzurufen, als gäbe es Sexualität nur in der Ehe. Es gibt keine Entschuldigung dafür, Kinder anzulügen. Wenn sie erkennen, wie das in konventionellen[9] Familien geschehen muß, daß ihre Eltern gelogen haben, verlieren sie das Vertrauen zu ihnen und fühlen sich berechtigt, sie ebenfalls anzulügen. Es gibt Tatsachen, die ich einem Kind nicht aufdrängen würde, aber ich würde ihm alles eher sagen als eine Unwahrheit. Tugend, die sich auf eine falsche Vorstellung von Tatsachen gründet, ist keine wirkliche Tugend. Ich spreche nicht nur aus der Theorie, sondern aus praktischer Erfahrung, wenn ich die Überzeugung ausdrücke, daß völlige Offenheit über sexuelle Themen der beste Weg ist, Kinder daran zu hindern, übermäßig, häßlich oder krankhaft an sie zu denken, und daß sie auch die fast unerläßliche Voraussetzung für eine wohlverstandene sexuelle Moral ist.

---

[8] physiologisch: die Lebensvorgänge des Körpers betreffend.

[9] konventionell: herkömmlich, nicht modern.

III Die Autoren der Erzählungen

Ingeborg Bachmann
(geb. am 25. 6. 1926 in Klagenfurt, gest. am 16. 10. 1973 in Rom)
5 studierte in Wien und Graz Philosophie, promovierte 1950, arbeitete als Redakteurin in Wien, war 1959/60 Dozentin für Poetik an der Frankfurter Universität und unternahm Reisen nach Amerika, Frankreich, Ägypten und in den Sudan. Sie lebte viele Jahre in Rom.

10 1953 erschien der Gedichtband „Die gestundete Zeit", mit dem sie Aufmerksamkeit erregte. Sie trat vor allem als Lyrikerin hervor, schrieb aber auch Hörspiele, Erzählungen, Romane, Librettos und Essays.

Sie erhielt schon 1953 den Literaturpreis der „Gruppe 15 47" und in den folgenden Jahren u. a. den Georg-Büchner-Preis und den Großen Österreichischen Staatspreis.

Werke: Anrufung des großen Bären (1956); Der gute Gott von Manhattan (1958); Das dreißigste Jahr (1961); Malina (1971) u. a.

20 **Heinrich Böll**
(geb. am 21. 12. 1917 in Köln)
ist der Sohn eines Bildhauers und Tischlers. Nach dem Abitur und einer Buchhändlerlehre wurde er 1938 zum Arbeits- und Wehrdienst eingezogen. Mehrfach verwun-25 det, kehrte er zu seiner Frau Annemarie zurück. 1945 begann er, Germanistik zu studieren.

1958 erwarb er ein Anwesen in Irland. Er machte ausgedehnte Reisen in die Sowjetunion, die USA, nach Frankreich, Portugal und Schottland.

30 Böll schrieb vor allem Romane, Erzählungen, Kurzgeschichten, Hörspiele, Essays und autobiographische Schriften, hielt Reden und gab Interviews.

Hermann Kesten sagte über ihn: „Er beschreibt seine Zeitgenossen in der Bundesrepublik Deutschland und 35 hadert mit ihnen wie mit sich. Er will ihr Gewissen wecken.

Ihr soziales, politisches, moralisches Unrecht sollen sie einsehen. (In Sachen Böll. 1968) Böll erhielt 1951 den Preis der „Gruppe 47“, 1972 den Nobelpreis für Literatur und 1974 die Carl von Ossietzky-Medaille der Internationalen Liga für Menschenrechte.

Werke: Ansichten eines Clowns (1963); Gruppenbild mit Dame (1971); Die verlorene Ehre der Katharina Blum oder: Wie Gewalt entstehen und wohin sie führen kann (1974) u. a.

Morley Edward Callaghan
(geb. 1903 in Toronto/Kanada)
besuchte das St. Michael College und studierte Jura. Er arbeitete als Journalist u. a. beim „Toronto Star“, wo er auch Hemingway kennenlernte. Anthony Burgess, der Biograph Hemingways, bezeichnet ihn als „Kanadas besten Erzähler“. Die meisten seiner Werke – Romane und Kurzgeschichten – entstanden in den 30er Jahren; es wurde nur wenig ins Deutsche übersetzt.

Er erhielt mehrere kanadische Preise, darunter 1952 den Governor General Award.

Ernest Hemingway
(geb. am 21. 7. 1899 in Oak Park bei Chicago; gest. am 2. 7. 1961 in Ketchum, Idaho)
wuchs mit vier Schwestern in einem Arzthaus auf, schrieb Artikel für eine Schülerzeitschrift und machte eine journalistische Ausbildung. Er war viermal verheiratet und hatte drei Söhne. Sein Leben als Schriftsteller, Journalist, Kriegsberichterstatter, Wildhüter, Jäger, Boxer und Angler spielte sich in Amerika, Kuba, Frankreich, Spanien, Italien und im Nahen Osten ab.

Seine Romane, Erzählungen und Short Stories sind geprägt durch sein abenteuerliches, naturverbundenes Leben.

Schon 1950 machten sich Zeichen einer Krankheit bemerkbar, die mit den Jahren schlimmer wurde. 1961 erschoß sich Hemingway in seinem Ferienhaus.

Er erhielt 1953 den Pulitzer-Preis und 1954 den Nobelpreis.

Werke: Wem die Stunde schlägt (1940); Über den Fluß und in die Wälder (1950); Der alte Mann und das Meer (1952) u. a.

James Augustin Aloisius Joyce
(geb. am 2. 2. 1882 in Rathgar bei Dublin/Irland; gest. am 13. 1. 1941 in Zürich)
wuchs zusammen mit zehn Geschwistern in Dublin auf. Nach dem Besuch einer Jesuitenschule sollte er Priester werden, studierte jedoch zunächst Sprachen, dann Medizin in Dublin und Paris, wo er in unbeschreiblicher Armut lebte.

Nach seiner Heirat mit Nora Bernacle lebte er als Lehrer, Sänger, Schauspieler, Kinobetreiber und Schriftsteller in Italien, der Schweiz, in Frankreich und England.

Es entstanden Romane, Novellen, Erzählungen, Gedichte und ein Schauspiel. Vor allem sein Roman „Ulysses" hatte großen Einfluß auf die zeitgenössische Literatur.

Schon mit 28 Jahren mußte er sich einer Augenoperation unterziehen und war fast blind, als er mit 59 Jahren nach einem entbehrungsreichen Leben starb.

Werke: Ulysses (1922); Finnigans Wake (1939) u. a.

Marie Luise Kaschnitz
(geb. am 31. 1. 1901 in Karlsruhe; gest. am 10. 10. 1974 in Rom)

Marie Luise von Holzing-Berstett, Tochter eines Offiziers, verbrachte ihre Jugend in Potsdam und Berlin. Sie wurde Buchhändlerin in Weimar und München, arbeitete in Rom, heiratete dort den Wiener Archäologie-Professor Guido Freiherr von Kaschnitz-Weinberg und hatte eine Tochter.
Bis zum Tode ihres Mannes 1958 lebte sie in Italien, Griechenland und Nordafrika, in der Türkei und in Deutschland.

Sie war Gastdozentin für Poetik an der Frankfurter Universität (1960) und Mitglied vieler Akademien.

Sie schrieb vor allem Gedichte, aber auch Romane, Erzählungen, Essays, Hörspiele und Autobiographisches.

Sie erhielt viele Ehrungen und Preise, darunter 1955 den Georg-Büchner-Preis und 1967 den Orden pour le mérite.

Werke: Lange Schatten (1960); Dein Schweigen – meine Stimme (1962) u. a.

Siegfried Lenz 5
(geb. am 17. 3. 1926 in Lyck/Masuren)

Als Sohn eines Zollbeamten wuchs er in Masuren auf, machte 1943 das Notabitur und wurde Marinesoldat.

Nach Kriegsende begann er Philosophie und Anglistik zu studieren, um Lehrer zu werden. Nach einer Volontärszeit 10 bei der Zeitung „Die Welt", wo er auch Feuilletonredakteur war, lebte er als freier Schriftsteller in Hamburg. Er machte Reisen nach Afrika, Texas und Australien.

Siegfried Lenz schrieb Romane, Erzählungen, Hör- und Fernsehspiele, Schauspiele und Funkessays. 15

Seine Bücher sind in mehr als 20 Sprachen übersetzt und in einer Auflage von über 5,5 Millionen erschienen.

Er erhielt viele Preise, darunter 1961 den Gerhart-Hauptmann-Preis, 1962 den Bremer Literaturpreis und 1966 den Großen Kunstpreis von Nordrhein-Westfalen. 20

Werke: So zärtlich war Suleyken (1955); Der Mann im Strom (1957); Jäger des Spotts (1958); Brot und Spiele (1959); Zeit der Schuldlosen, (1960/61); Das Feuerschiff (1961); Deutschstunde (1968); Das Vorbild (1973) u. a.

Bernard Malamud 25
(geb. am 26. 4. 1914 in Brooklyn)

Seine Eltern waren aus Rußland eingewanderte Juden, die in New York einen Lebensmittelladen betrieben. Zwischen 1928 und 1932 studierte er und wurde dann Professor für englische Literatur. Mit 31 Jahren heiratete er Ann de 30 Chiara. Er reiste nach England, Italien, Frankreich, Spanien und Rußland und schrieb Romane und Kurzgeschichten.

Malamud erhielt 1959 den „Ford foundation grant for creative writing" und 1966 den Pulitzer-Preis. 35

Werke: Der Gehilfe (1957); Der Fixer (1966); Das Leben des William Dubin (1980) u. a.

Katherine Mansfield (Pseudonym)
(geb. am 14. 10. 1888 in Wellington/Neuseeland; gest. am 9. 1. 1923 in Fontainebleau)

Kathleen Beauchamp wuchs mit ihren beiden Schwe-
5 stern als Tochter eines Bankiers in Neuseeland auf. Mit 9 Jahren veröffentlichte sie ihre erste Erzählung in einer Zeitschrift, begann mit 14 Jahren ein Musikstudium in England und wurde Cellistin. Sie führte ein unstetes Leben als Privatlehrerin, Filmstatistin, bei einer umherziehenden
10 Operntruppe und beim Ballett. Nach der Scheidung von ihrem ersten Mann, dem Musiker Georg Bowden, heiratete sie den Schriftsteller John Middleton Murray, mit dem sie einen ausgedehnten Schriftwechsel führte, da sie wegen einer schweren Lungenkrankheit ihren Wohnort häufig
15 wechselte.

Sie starb mit 34 Jahren an einem Blutsturz und hinterließ Gedichte, Kurzgeschichten, Tagebücher, Briefe und Kritiken.

Werke: Das Gartenfest (1922); Eine Ehe in Briefen
20 (1907); Tagebuch 1904–1922 u. a.

Boris Andreevič Pilnjak (Pseudonym)
(geb. am 12. 9. 1894 in Mozajsk; gest. 1937/38)

Boris Andreevič Wogau, Sohn eines deutschstämmigen Landarztes und einer Russin, wuchs in einer gebildeten,
25 bürgerlichen Umgebung auf. Er unternahm ausgedehnte Reisen nach Europa, Asien und Amerika, nachdem er in Moskau eine Handelshochschule besucht hatte.

Schon mit 9 Jahren begann er zu schreiben. 1918 erregte er mit dem Roman „Das nackte Jahr“ Aufmerksamkeit.
30 Stilistisch durch seine Herkunft geprägt, beschrieb er die Ursprünglichkeit und Wildheit der in Armut lebenden russischen Bauern.

Er geriet mit der Partei in Konflikt, wurde aus dem Schriftstellerverband ausgeschlossen und von der Presse
35 totgeschwiegen. Als Spion und Trotzkist angeklagt, kam er 1937 ins Gefängnis und wurde vermutlich hingerichtet.

Er schrieb Romane, Erzählungen und Tagebücher.

Wassili Makarowitsch Schukschin (Vasilij Šukšin)
(geb. am 25. 7. 1929 in Srostki/Altaj; gest. am 2. 10. 1974 in Stanica Kletskaja/Volgograd)
verbrachte seine Kindheit im Süden der Sowjetunion und arbeitete schon als Jugendlicher auf der Kolchose und in der Fabrik. Nach dem Militärdienst bei der Flotte studierte er in Moskau und wurde Regisseur. Er arbeitete als Schauspieler und Drehbuchautor. Daneben schrieb er Romane und Erzählungen, die das einfache Volk, seine spontanen, teils komischen, teils tragischen Verhaltensweisen darstellen.

Er erhielt 1967 den Staatspreis der RSFSR (Russische Sozialistische Föderative Sowjetrepublik) und u.a. 1976 den Leninpreis für seine Filme.

Anna Seghers (Pseudonym)
(geb. am 19. 11. 1900 in Mainz; gest. am 1. 6. 1983 in Berlin/Ost)

Netty Reiling war die einzige Tochter eines reichen, angesehenen Antiquitätenhändlers und erhielt auf einer „Höheren Töchterschule" eine humanistische Bildung. Nach dem Abitur studierte sie Geschichte, Kunstgeschichte, Sinologie und Philologie; das Studium schloß sie mit der Promotion ab. Ein Jahr später heiratete sie den ungarischen Schriftsteller Laszlo Radvanyi; 1928 trat sie der KPD bei und nahm an vielen internationalen Kongressen teil. Nachdem im Dritten Reich ihre Bücher verbrannt wurden und sie selbst verhaftet worden war, gelang es ihr, 1933 mit ihren beiden Kindern nach Paris, später nach Mexiko zu fliehen. 1947 kehrte sie nach Deutschland zurück und zog nach Ost-Berlin, wo sie sich wieder aktiv am politischen Leben beteiligte. Schon für ihre erste Erzählung 1924 wählte sie das Pseudonym Antje Seghers. Unter dem Namen Anna Seghers veröffentlichte sie danach Romane, Erzählungen, Novellen und Aufsätze.

Sie erhielt unzählige Ehrungen, Verdienstorden und Medaillen, darunter 1971 den Nationalpreis 1. Klasse und zum 75. Geburtstag den Dr. h. c. der Universität Mainz.

Werke: Aufstand der Fischer von St. Barbara (1928); Das

siebte Kreuz (1942); Transit (1943); Der Ausflug der toten Mädchen (1946); Der Bienenstock (1953); u. a.

Michail Michajlovic Sostschenko (Zoscenko)
(geb. am 10. 8. 1895 in St. Petersburg; gest. am 22. 7. 1958
5 in Leningrad)
war der Sohn eines ukrainischen Adligen, der sich mit Malerei beschäftigte. Nach dem Jura-Studium in St. Petersburg meldete er sich 1915 als Kriegsfreiwilliger und erlitt eine Gasvergiftung, auf die er spätere Leiden zurückführte.
10 Nach dem Krieg arbeitete er als Angestellter, Jäger, Schuster und Schauspieler und trat einem literarischen Freundeskreis („Serapionsbrüder") bei, der sich mit stilistischen Fragen des Schreibens beschäftigte und Unabhängigkeit für seine Arbeit forderte. Sostschenko, der teils komi-
15 sche, teils groteske Erzählungen schrieb, genoß nicht nur unter seinen Freunden, sondern auch im Ausland großes Ansehen.

Seine satirische Fabel „Die Abenteuer eines Affen" trug ihm den Zorn des ZK der KP ein, und er wurde aus dem
20 Sowjetischen Schriftstellerverband ausgeschlossen. Obwohl er später wieder veröffentlichen durfte, wurde er doch nicht voll rehabilitiert; seine Werke – Romane, Erzählungen, Satiren und Dramen – werden in der Sowjetpresse kaum erwähnt.
25 *Werke:* Russischer Alltag (1948); Schlaf schneller, Genosse (1953); Der Rettungsanker (1959) u. a.

Quellenverzeichnis der Erzählungen

Bachmann, Ingeborg: Die Fähre, aus: Ingeborg Bachmann, Die Fähre. Erzählungen, München (dtv), 1982, S. 7–11

Böll, Heinrich: An der Brücke, aus: Heinrich Böll, Erzählungen 1947–1949, Köln (Kiepenheuer & Witsch), 1983, S. 57–59

Callaghan, Morley: Du Snob!, aus: Theo Schuhmacher (Hrsg.), Love Stories, Amerikanische Liebesgeschichten zweisprachig, München (dtv), 1983, S. 7, 9, 11, 13, 15 und 17

Hemingway, Ernest: Oben in Michigan, aus: Ernest Hemmingway, Gesammelte Werke 6, Stories I. Ins Deutsche übertragen von Annemarie Horschitz-Horst, Reinbek (Rowohlt) 1977, S. 76–80

Joyce, James: Eveline, aus: Werke, Bd. I. Deutsch von Dieter E. Zimmer, Frankfurt (Suhrkamp) 1969, S. 35–40

Kaschnitz, Marie Luise: Ferngespräche, aus: Ferngespräche. Erzählungen, Berlin/Darmstadt/Wien (Deutsche Buchgemeinschaft), o. J. © Frankfurt (Insel), [65]1966

Lenz, Siegfried: Eine Liebesgeschichte, aus: Siegfried Lenz, So zärtlich war Suleyken. Masurische Geschichten, Frankfurt/Hamburg (Fischer Bücherei), 1965, S. 128–132

Malamud, Bernard: Die ersten sieben Jahre, aus: Bernard Malamud, Das Zauberfaß und andere Geschichten, München (dtv), 1982, S. 127–138

Mansfield, Katherine: Den Schleier nehmen, aus: Katherine Mansfield, Das Taubennest. Erzählungen, übersetzt von Elisabeth Schnack, Frankfurt (Fischer TB), 1982, S. 33–38

Pilnjak, Boris: Wind über Menschen, aus: Boris Pilnjak, Mahagoni und andere Erzählungen, aus dem Russischen übertragen von Valerian P. Lebedew, München (W. Goldmann), 1961, S. 72–81

Seghers, Anna: Susi, aus: Anna Seghers, Die Kraft der Schwachen. Neun Erzählungen, Berlin und Weimar (Aufbau-Verlag) 1967, S. 121–135

Sostschenko, Michail: Die Hochzeit, aus: Russische Liebesgeschichten, hg. von Antje Leetz, Frankfurt (Suhrkamp) 1982, S. 118–123

Quellenverzeichnis der theoretischen Texte

Adler, Alfred: Das Verhältnis der Geschlechter (Auszüge), aus: Alfred Adler, Menschenkenntnis, Frankfurt (Fischer Bücherei), 1966, S. 135 und 136

Adorno, Theodor W.: Geliebt wirst du einzig ... (Aphorismen) aus: Minima Moralia. Reflexionen aus dem beschädigten Leben, Frankfurt (Suhrkamp) 1971, S. 255

Eckermann, Johann Peter: Gespräche mit Goethe, aus: J. P. Eckermann: Gespräche mit Goethe in den letzten Jahren seines Lebens, hrsg. v. Ludwig Geiger, Leipzig (Max Hesse) o.J., S. 434–435

Frisch, Max: Eifersucht, aus: Max Frisch, Tagebuch 1946–1949, Frankfurt (Suhrkamp), 1950, S. 401

Fromm, Erich: Ist Lieben eine Kunst? (Auszüge), aus: Die Kunst des Liebens, neu übersetzte Ausgabe von Liselotte und Ernst Mickel, Frankfurt/Berlin/Wien (Ullstein), 1980, S. 11, 12, 57, 58 und 64–66

Laub, Gabriel: Sitz der Liebe, aus: Gabriel Laub, Enthüllung des nackten Kaisers. Satire in Begriffen, München (dtv), 1972, S. 77–79

Luther, Martin: Tischreden (Auszüge), aus: Martin Luthers Tischreden, Berlin (Deutsche Bibliothek) o.J., S. 185, 186 und 189

Reik, Theodor: Emotionale Bereitschaft (Auszüge), aus: Theodor Reik, Geschlecht und Liebe, München (Kindler), o.J., S. 96–101

Riemann, Fritz: Die Fähigkeit zu lieben (Auszug), aus: Fritz Riemann, hrsg. von S. Elhard und D. Zagermann, Die Fähigkeit zu lieben, Stuttgart/Berlin (Kreuz-Verlag), 1982, S. 25–26

Russell, Bertrand: Sexualethik (Auszüge), aus: Bertrand Russell, Warum ich kein Christ bin, Reinbek (Rowohlt), 1970/1983, S. 38, 39 und 165.

Wenn Ihre Klasse Spaß an Geschichten und Erzählungen hat, dann empfehlen wir hierfür weiter Texte aus unserer Reihe „Lesehefte“: